A PRENDRE OU A LÉCHER

DU MÊME AUTEUR

Dans la même collection :

Laissez tomber la fille.
Les souris ont la peau tendre.
Mes hommages à la donzelle.
Du plomb dans les tripes.
Des dragées sans baptême.
Des clientes pour la morgue.
Descendez-le à la prochaine.
Passez-moi la Joconde.
Sérénade pour une souris défunte.
Rue des Macchabées.
Bas les pattes.
Deuil express.
J'ai bien l'honneur de vous buter.
C'est mort et ça ne sait pas.
Messieurs les hommes.
Du mouron à se faire.
Le fil à couper le beurre.
Fais gaffe à tes os.
A tue... et à toi.
Ça tourne au vinaigre.
Les doigts dans le nez.
Au suivant de ces messieurs.
Des gueules d'enterrement.
Les anges se font plumer.
La tombola des voyous.
J'ai peur des mouches.
Le secret de Polichinelle.
Du poulet au menu.
Tu vas trinquer, San-Antonio.
En long, en large et en travers.
La vérité en salade.
Prenez-en de la graine.
On t'enverra du monde.
San-Antonio met le paquet.
Entre la vie et la morgue.
Tout le plaisir est pour moi.
Du sirop pour les guêpes.
Du brut pour les brutes.
J'suis comme ça.
San-Antonio renvoie la balle.
Berceuse pour Bérurier.
Ne mangez pas la consigne.
La fin des haricots.
Y a bon, San-Antonio.
De « A » jusqu'à « Z ».
San-Antonio chez les Mac.
Fleur de nave vinaigrette.
Ménage tes méninges.
Le loup habillé en grand-mère.
San-Antonio chez les « gones ».
San-Antonio polka.
En peignant la girafe.
Le coup du père François.
Le gala des emplumés.
Votez Bérurier.
Bérurier au sérail.
La rate au court-bouillon.
Vas-y Béru !
Tango chinetoque.
Salut, mon pope !
Mange et tais-toi.
Faut être logique.
Y a de l'action !
Béru contre San-Antonio.
L'archipel des Malotrus.
Zéro pour la question.
Bravo, docteur Béru.
Viva Bertaga.
Un éléphant, ça trompe.
Faut-il vous l'envelopper ?
En avant la moujik.
Ma langue au Chah.
Ça mange pas de pain.
N'en jetez plus !
Moi, vous me connaissez ?
Emballage cadeau.

Appelez-moi, chérie.
T'es beau, tu sais !
Ça ne s'invente pas !
J'ai essayé : on peut !
Un os dans la noce.
Les prédictions de Nostrabérus.
Mets ton doigt où j'ai mon doigt.
Si, signore.
Maman, les petits bateaux.
La vie privée de Walter Klozett.
Dis bonjour à la dame.
Certaines l'aiment chauve.
Concerto pour porte-jarretelles.
Sucette boulevard.
Remets ton slip, gondolier.
Chérie, passe-moi tes microbes !
Une banane dans l'oreille.
Hue, dada !
Vol au-dessus d'un lit de cocu.
Si ma tante en avait.
Fais-moi des choses.
Viens avec ton cierge.
Mon culte sur la commode.
Tire-m'en deux, c'est pour offrir.
A prendre ou à lécher.
Baise-ball à La Baule.
Meurs pas, on a du monde.
Tarte à la crème story.
On liquide et on s'en va.
Champagne pour tout le monde !
Réglez-lui son compte !
La pute enchantée.
Bouge ton pied que je voie la mer.
L'année de la moule.
Du bois dont on fait les pipes.
Va donc m'attendre chez Plumeau.
Morpions Circus.
Remouille-moi la compresse.
Si maman me voyait !
Des gonzesses comme s'il en pleuvait.
Les deux oreilles et la queue.
Pleins feux sur le tutu.
Poison d'Avril, ou la vie sexuelle de Lili Pute.

Hors série :

L'Histoire de France.
Le standinge.
Béru et ces dames.
Les vacances de Bérurier.
Béru-Béru.
La sexualité.
Les Con.
Les mots en épingle de San-Antonio.
Si « Queue-d'âne » m'était conté.
Les confessions de l'Ange noir.
Y a-t-il un Français dans la salle ?
Les clés du pouvoir sont dans la boîte à gants.
Les aventures galantes de Bérurier.

Œuvres complètes :

Vingt et un tomes déjà parus.

SAN-ANTONIO

A PRENDRE OU A LÉCHER

— Remarquable roman —

ÉDITIONS FLEUVE NOIR
6, rue Garancière - PARIS VIe

Texte déjà paru dans la même collection
sous le même numéro.

ISBN 2-265-02987-4

Pour Jean-Jacques DUPEYROUX,
mon fraternel,
ce livre qui restera
pour moi le plus cruel des exploits.

San-A.

PREMIÈRE PARTIE

EN PISTE

Je sors de sous l'arcade.

M'avance vers la piscaille où ça trempotte à qui mieux mieux.

Du cul en pagaïe.

Des beaux, des moches, des pendants, des indépendants, des en forme de poire, des en forme de cul ; des bronzés, des blafards, des grenus, des flasques, des celluliteux, des *fluctuat nec vergetures,* des qui te donnent envie d'avoir envie, des qui te donnent envie de gerber. *Très very* impressionnant, cet étalage. Y en a qui macèrent entre deux eaux, et des qui s'étalent entre deux zoos, au soleil plantureux de la Thaïlande.

L'hôtel *Oriental* est un établissement de grand luxe, impec, air conditionné, vue sur tout ce qu'il y a à voir, service de classe (15 %), des éléphants statufiés dans le hall, escalier majestueux, musique à partir de *five o'clock,* des San-Tantonio en vente au kiosque du fond ; partie ancienne conservée, colonial pur fruit (Siam).

Tout bien, je trouve. Je raffole les hôtels de lusc, moi, l'Antonio, de pourtant modeste extradition, et probablement à cause d'icelle. La classe, je suis preneur. Les Chinetoques peuvent venir, ou les Popoffs, les Iraniens (qui ira le dernier), les Zoulous, Cubains, concubains, toutim, envahisseurs aux dents longues et au régime fakir, j'ai goinfré ma part de turpide confort, m'en suis vautré jusque-là : regarde où je mets ma main. Et plus encore. Tout profité de ce qu'était possible, tant qu'à faire, puisque j'étais là et que ces choses s'y trouvaient aussi, hein, non ? Vivre, ça rimerait à quoi-ce, autrement sinon ? Passer outre, c'est pour ensuite, quand on connaît, qu'on en a marre, qu'on dédaigne d'à force, tu comprends ? Pour s'engager dans l'ascétisme, faut subir les langueurs de la pré-cirrhose ; la morale intime découle souvent d'une crise de foie, ou d'une bricole vasculaire ; c'est la machine qui t'alerte l'âme. Quand la viande est en rigolade, la conscience ne se pose pas de problèmes.

Je te dis ça, mais t'en as rien à branler, pas vrai, l'arsouille ? Et t'as hautement raison, raison au point que c'en est dégueulasse. Et alors bon, attends, bouge pas, ça va commencer, mon petit fourbi.

Je sors de sous l'arcade ombreuse.

Béru me flanque.

Ça veut dire qu'il m'accompagne. Je suis flanqué de Béru, quoi !

Qu'en surplus, il me flanque la rifouille, tel accoutré qu'il est, l'apôtre, d'un bermudoche à rayures jaunes et mauves et d'une sorte de casaque de toile blanche à poche marsupiale. Le blanc, c'est néfaste pour Béru, vu que ça n'est qu'un fond de sauce pour cézigue. Le temps du petit déjeuner, et voilà cet élément vestimentaire étoilé de jaune d'œuf, de côtes-du-Rhône, de café et de graisses variées.

On s'arrête pour contempler la faune en barbotance, les gonzesses surtout. Y a précisément des mannequins de Paris venus présenter la collection d'hiver prochain aux Bangkokiennes et qui en jettent dans des prémonitions de maillots (on peut même plus employer le mot soupçon). Ces maillots soulignent juste ce qu'il y a à voir d'essentiel pour les gens pressés, ceux qui matent en hâte. Maillots deux pièces (avec cuisine) tellement inexistants qu'on leur voit la gnougnoute comme je te vois (et espère que le plus con des deux n'est pas celui qu'on pense). Des gus langourent de la bite sur des chaises longues en visionnant les naïades. Des vilains moches à frimes tibulaires et pas tibulaires, selon. Des ventrus, velus, vieux cons, variqueux, plissés soleil, qu'ont relevé leurs besicles solaires sur le front pour contempler en couleurs naturelles. Ils en bavent, les Kroums. Babines garnies de stalactites-branlettes. Le mâle, t'empêcheras jamais : il est convoiteur. Même fané de la zoute, faut qu'il s'énucle sur les géographies des donzelles.

Et alors mon attention vadrouilleuse est sollicitée par l'attitude d'un mec, le plus proche de nous, qui, loin de se déhucher les lotos, mate dans la direction opposée, c'est-à-dire la nôtre.

Un homme pas mal, bien que visiblement britannouille. Cheveux plats, raie basse, z'yeux indifférents, mâchoire en tiroir mal fermé.

Il tend un bras vers nous, fait claquer deux des cinq doigts qui l'aboutissent et dit :

— Vous devriez reculer, gentlemen !

Y a du péremptoire dans sa voix. Bien que de nature indocile, je l'obéis d'instinct, amorce un grand pas en arrière en contraignant Béru à m'imiter d'une rebuffée prompte.

Et j'ai eu raison d'agir ainsi, car à la seconde où nous achevons ce double mouvement, une masse sombre passe au ras de nos frimes et s'écrase à nos pieds, sur les dalles, avec un bruit malencontreux.

Il s'agit d'un gros mec habillé d'un peignoir de bain brodé au nom de l'*Oriental,* lequel, je te le répéterai jamais suffisamment assez, est un palace de toute première catégorie qui mérite à lui seul le voyage à Bangkok.

*
**

La chiasse, dans ces circonstances, c'est les éclaboussures.

T'es là, pimpant, rutilant comme la vitrine Cartier, tu fais dans le play-bois, t'arbores, tu frimes, et puis un gros gonzier se défenestre et tu te retrouves, à l'instant même, moucheté comme un para.

Non, mais je te jure : tu verrais mon futal de toile blanche, ma limouille jaune pâle, mes tartisses de toile immaculées comme la conception, tu chialerais de les constater ainsi dépradées : des fringues *made in* de Blausse, à Cannes (06) ! Enfin, l'essentiel c'est la santé, non ? Comme disait l'autre : on aura beau dire, on aura beau faire, plus ça ira, moins on rencontrera de gens ayant connu Sarah Bernhardt (laquelle se nommait en réalité Rosine Bernard comme quoi tu vois, y a pas que les Blumenthal qui se font appeler Lafleur). Et moi, j'ajoute à cette assertion que plus ça ira, moins on rencontrera de gens capables de vous sauver la vie. J'en sais des chiées qui, à la place de l'Angliche, auraient contemplé le spectacle, ravis de l'aubaine ; attendant que le gros gnouf tombé du ciel nous choie sur les endosses, moi et Béru, nous déguisant en crêpes bretonnes ou hamburgers. Un Rosbif, ça cause peu, mais à bon escient, tu me diras pas le contraire. Net et précis, sans crier gare, alors que c'était le mot à lâcher. Mais il aurait crié gare, j'aurais cherché pourquoi et le temps de ramasser mister La Volplane sur la gueule, vrrraoum! Non, lui, le gentil Britiche, il a tout de suite su la manière de nous éviter l'aérolithe : « Vous devriez reculer, gentlemen ! » Et nous avons reculé. Et au lieu que des gens nous forment le cercle autour pour examiner la flaque qu'on serait devenus, moi et le Gravos, c'est Mister Gras-Double et Monseigneur Moi-Même qu'on est au premier rang des spectateurs.

Le voltigeur s'est planté la bouille première, si bien qu'il a percuté du menton, et alors sa physionomie s'en est trouvée quelque peu altérée. Trace une ligne droite de ses arcanes souricières (comme dit Béru) à son larynx et tu pigeras que sa nouvelle tête ressemble à présent à un bonnet de bain, car il est chauve comme une carte de l'*American-Express,* l'ami. D'une largeur inhumaine, bedaine étale, membres disloqués.

Les naïades poussent des clameurs, les vieillasses évanouissent ou font semblant. Un vieux crabe à tronche de sadique professionnel se met à tripoter dans la bouillie de visage, à gros doigts avides, comme un qui cherche ses lunettes dans la boîte à gants de sa bagnole.

Ça rameute tout azimut. Ecœuré par la vision et le témoignage qu'en portent mes fringues, je contourne le gisant pour m'approcher de l'Anglais. Lui, impassible, il est resté allongé sur sa chaise longue. Maintenant, cette histoire n'est plus sa tasse de thé favorite. Il écluse un whisky en rêvassant.

— Merci *very much,* je lui fais.

Il a un geste badin, « de rien, c'est la moindre des choses », signifie son petit mouvement.

J'insiste :

— Vous avez vu de quel étage il est tombé ?

Le Rosbif hoche la tête en direction du bâtiment.

— Il n'est pas interdit de penser que cette personne ait chuté du balcon d'où pend une ceinture de peignoir, répond-il en soupirant.

Je compte les niveaux, douzième étage.

Alors je me pointe à contre-courant des spectateurs jusqu'à la réception où des Thaïlandaises exquises plaisantent avec un ramage de perruches. Elles ne sont point encore informées de la tragédie.

J'avance vers elles, précédé d'un sourire tellement ensorceleur qu'elles vont devoir changer de slip dès la fin de la converse et alors qui est-ce qui sera en place pour répondre à la clientèle, tu peux me dire ?

Je m'adresse à la plus belle dont le regard fendu fait penser à deux pines rapprochées.

— Au douzième étage, un gros type chauve occupe un appartement face à la piscine, vous voyez de qui il s'agit ? je demande.

La souris se met à guiliguiler avec ses potesses, puis à mater un grand tableau puzzelé de cartons portant des blazes. Dehors le raffut monte. Juste elles ont le temps de me dire qu'il doit s'agir de M. Johannes Brandt, de Hambourg, Germania, appartement 1212. Et est-ce qu'il est seul ici ? Oui, il est seul. Bon, allons-y voir. J'engage dans l'ascenseur tandis que les perruches aux yeux bridés et aux mignons slips en péril sont enfin informées de l'horreur extérieure.

J'arrive devant le 1212, je demande mam'zelle Angèle... Tu me croiras si tu vas vouloir, mais la clé est sur la porte. J'entre avec une superbe désinvolture flambant neuve. Minuscule antichambre garnie de penderies, porte de la salle de bains, porte de la chambre. Cette dernière grand tout vert.

L'accès au balcon est largement dégagé et le rideau de

tulle (Corrèze) flotte à l'extérieur comme une voile de barlu en cours d'hissage.

M'y pointe.

La ceinture du peignoir de bath est là, qui pendouille au-dessus du vide.

Je reviens à la chambre. Le lit est défait, il y a un plateau sur la table basse, avec des reliefs de petit déjeuner pour deux personnes. La radio mouline en sardine, comme dit le Gros. Musique de par ici, lancinante, percutée, chiante, qui te scie la nervouze.

Dans un angle de la pièce, un étui à fusil. J'en soulève le couvercle, dégage l'arme. Il s'agit d'un Eburneur 79 à lunettes, canon trimulcé, expectative double, farniente incorporé, injection directe d'objet. Acier poli, qui dit merci quand on le caresse. Ça vous tire des bastos grosses comme une quéquette d'officier de marine. Donc, le sieur Brandt était chasseur, Mais on chasse quoi, en Thaïlande ? Le tigre du Bengale, l'autruche amphibie ou le castor ovipare ?

J'en suis là de mes auto-questions, quand la porte de la salle de bains s'ouvre et une personne du sexe merveilleusement opposé au mien surgit, entièrement nue, sauf qu'elle achève de se fourbir l'entrejambe avec une serviette éponge, ce qui cache momentanément une partie assez essentielle de son individu.

Elle s'arrête pile en m'apercevant, place une jambe devant l'autre afin de planquer sa case trésor, et remonte la serviette devant ses exquises loloches. La personne dont je dis est asiatique.

Elle s'adresse à moi en anglais. Le zozote délicieusement.

— Qui êtes-vous ? demande-t-elle.

— Un client de l'hôtel, réponds-je, car je hais le mensonge.

— Et qu'est-ce que vous voulez ?

— Je passais, j'ai vu du feu, je suis entré.

— Johny n'est pas là ? elle s'inquiète après une matée circulaire.

Je suppose que Johny est le diminutif de voyage du sieur Johannes Brandt.

— Il est descendu, réponds-je, toujours par amour de la vérité.

Elle s'étonne :

— Mais il était tout nu, et ses vêtements sont là, ajoute-t-elle en montrant le serviteur muet loqué d'effets qui, pour être adaptés à la chaleur, n'en sont pas moins germaniques.

— Il a passé un peignoir de bain, rassuré-je.

— Il n'est pas descendu en peignoir de bain ! dénègue la mignonne.

Je hausse les épaules.

— Bien que vous soyez probablement bouddhiste, vous possédez l'incrédulité de notre cher saint Thomas, fais-je. Donnez-vous la peine d'aller jusqu'au balcon et vous apercevrez Herr Brandt auprès de la piscine. Vous promettre qu'il a l'éclat de la rose et la fraîcheur du jasmin serait hardi de ma part, mais enfin, vous constaterez qu'il y est bel et bien (si j'ose dire).

Elle obéit.

Je contemple avec une admiration indissimulable la silhouette de cette ravissante thaïlandaise, son cul si trognon quand elle se penche, ses cuisses bien faites, car elle n'a pas les jambes torses comme la plupart des gonzesses de là-bas qui paraissent avoir été élevées à califourchon sur des tonneaux.

Elle doit exclamer des trucs en langue thaï, que je ne saurais traduire si je les percevais, n'ayant pas le privilège de causer ce patois. Gorgée du vilain spectacle, elle revient vers moi.

— Il a sauté par le balcon ? demande-t-elle.

— Comme un grand, confirmé-je, et j'ai failli le prendre sur le coin de la théière.

Elle ne se formalise pas outre mesure. Le flegme britannouille, c'est de la roupie de chansonnette, ou de la roupette de pensionné, ou de la roupie de je ne sais plus quoi de con, qu'enfin bref, tu m'as compris, comparé à l'impénétrabilité des extrêmes-orientaux (lesquels extrêmes ont la fâchcuse réputation de se toucher, nul n'en ignore).

— Je ne comprends pas pourquoi il a agi ainsi, dit-elle, nous venions de faire bonheur-l'amour. Il paraissait content.

— Peut-être a-t-il cédé à un excès de félicité, émets-je. L'angoisse de ce qui va suivre, ça existe. Dans un sens comme dans l'autre, les paroxysmes engendrent leur contraire.

Mais cette puissante bouffée philosophique ne lui fait pas davantage d'effet qu'une piqûre de moustique à un éléphant.

— Est-il indiscret de vous demander qui vous êtes, mademoiselle ?

Elle hoche la tête, me vaseline un frais sourire pour catalogue de *la Redoute* (pages « tenues de plages ») et, en guise de réponse, va prendre une carte à une liasse maintenue par un élastique, dans son sac à main.

Je lis :

« *Suzy WRONG* »

« *Spécialiste* ».

Au dos de la brème, sont nomenclatées les choses suivantes :

« *Massages thaïlandais*

« Langues de velours japonaises
« Pipes françaises
« Touché rectal grec
« Feuilles de roses belges
« Sodomie par prothèse allemande
« Flagellation turque
« Supplices chinois
« Vibro-massages américains
« Invectives italiennes
De nuit, de jour ; à l'heure, à la semaine.
Tarifs spéciaux pour grands mutilés.
Prix étudiés, catalogue complémentaire sur demande. Protections prophylactiques assurées.
Fournisseuse du cousin germain de Sa Majesté Somdet Phra Chao Yu Hua Bummibol Adulyadej Rama IX de Thaïlande (1).

— Très intéressant, approuvé-je après avoir pris connaissance de la carte. Vous êtes donc venue faire un coucher avec Jojo ?

— Exact.

— C'est lui qui vous a contactée ?

— Non : un employé de l'hôtel, à la demande du client.

— Et tout s'est bien passé ?

— Très bien, il avait du tempérament. On a fait bonheur-l'amour avant de dormir, et puis encore tout à l'heure, en se réveillant.

— Et vous dites qu'il était en forme ?

— Très content, il chantait.

— Vous êtes restée longtemps dans la salle de bains ?

— Un quart d'heure environ.

— Quelqu'un est venu pendant que vous vous y trouviez ?

(1) Nom complet du souverain actuellement en piste.

— Je n'ai rien entendu, il faut dire que j'étais sous la douche.

— Pourquoi se trouvait-il en Thaïlande, ce gros teuton, pour chasser ? demandé-je en désignant le fusil.

Pas compliquée, la môme. Elle hoche la tête.

— Je ne sais pas, il ne m'a rien dit.

Et alors, sur ces entrefesses on toque à la lourde, et voilà des gens de l'hôtel qui se pointent, flanqués d'un policier en uniforme. Et ils sont tous jaunes, ces messieurs, jaune safran, avec des petites bouilles marrantes qui ont l'air de rigoler, mais ça vient de leurs regards fendus, moi je crois, parce qu'il n'y a aucune raison de se gondoler en cette circonstance.

Le policier me demande qui je suis, ce que je fais, tout ça...

Je lui réponds que c'est bibi qui a failli prendre l'homme-oiseau sur le râble, et aussi que je suis flic en pays de France et que la déformation professionnelle jouant, je suis monté voir pourquoi le gros Germain a loupé la marche. J'habite l'hôtel et je me tiens à dispose pour tout témoignage susceptible d'intéresser mes collègues de par ici.

Comme preuve de ce que j'avance, je lui montre le sang de tonton Johannes sur mon futal, avec des brimborions de sa cervelle de linot, et en plus ma carte d'identité. Le tout ponctué d'un beau sourire franc et massif. Il opine.

After what, je m'esbigne.

Dans le couloir, deux larbins sont attelés à ces étranges véhicules pour grands hôtels, où tu trouves tout un fourbi destiné au confort de la clientèle : savonnettes, faf à cul, sels de bain, linges de rechange, et t'essaieras et t'essaieras...

Les deux garçons de chambre, tu croirais des gamins,

mais ça vient de leur morpho aux gens d'ici. La Thaïlande paraît peuplée d'adolescents, biscotte ils sont petits, graciles et souples.

J'intercepte le convoi.

— Dites, les gars, vous n'auriez pas vu entrer ou sortir quelqu'un de cette chambre, il y a une dizaine de minutes ? je demande en leur allongeant un billet de vingt bahts.

V'là mes deux crêpes qui se mettent à gloussailler, à se fendre le pébroque en se racontant des choses machins trucs.

Et puis y en a un qui finit par me répondre dans un très mauvais anglais (mais que celui qui n'a pas péché lui jette la première pierre) qu'effectivement, il croit bien avoir vu sortir un homme du 1212, à moins que ce ne soit du 1211 ou du 1213, il ne saurait l'affirmer, étant occupé à promener l'aspirateur en laisse pour ses besoins du matin. Comment était cet homme ? A peu près aussi grand que lui (c'est-à-dire qu'il doit m'arriver au thorax), un Jaune, oui m'sieur, très large d'épaules, avec des lunettes noires. Et puis il avait une casquette de toile blanche à longue visière. Et il se traînait un gros ventre. Son costume était de toile kaki avec plein de poches inutiles partout pour y foutre des choses qu'on ne retrouve plus après. Et voilà. L'homme a pris l'un des ascenseurs. Et voilà, bon, c'est tout. S'il paraissait pressé ? Non, pas du tout. Il marchait doucement, en sifflotant, tu vois ? Peinard, il a même dit « hello » au larbin en passant devant son aspirateur à trompe. Voilà, c'est tout. A part ça tout va bien, et alors, vous êtes content, m'sieur ? Ne laissez pas la porte de votre balcon ouverte, à cause des petites bêtes qui entrent et de l'air conditionné qui, lui, fout le camp.

Je vais rejoindre Bérurier au bar.

Car mon instinct infaillible m'avertit que c'est là qu'il m'attend, le chéri. Et il y est bel et bien, en tête-à-tête avec un double whisky.

Je me juche à son côté (bien que Béru n'ait plus de « côté » depuis longtemps). Une forte giclée de sang brunit sur sa casaque.

— T'es grimpé chez le gonzier, j'sus sûr ? demande le Dodu.

— Yes, sœur.

— Intéressant ?

— Il venait de limer une professionnelle avec laquelle il a passé la nuit. La môme se ramonait le frifri au moment de son valdingue. Ce mec devait chasser car il y a dans sa turne une arquebuse pour praliner les grands fauves. Comme suspect possible : un petit Asiatique bedonnant, à lunettes noires et casquette blanche, mais rien de sûr.

— Tu crois au suicide, técolle ? questionne l'emmitouflé de lard.

— Pas tellement.

— Moi non plus. Quand on saute par la f'nêtre on ne tient pas quéqu' chose dans la pogne.

Il fouille la vague marsupiale de sa casaque et me tend un objet circulaire, percé en son centre. C'est de la dimension d'une pièce de cinq francs, en jade d'un vert bleuté. Il y a des stries au recto et au verso du petit disque.

— Il tenait ce machin dans le creux de sa main, m'explique Béru, j'lu y ai fauché en loucedé. Que peut-ce être ?

— Point d'interrogation, à la ligne, soupiré-je en enfouillant le disque.

Mais il est arrivé, le moment de te révéler — ô mon lecteur à la mords-moi le nœud, mais pas trop fort — que nous ne sommes point venus à Bangkok, Sa Majesté Bérurier Ier et moi pour élucider ce genre de casse-tête chinois.

On est ici pour autre chose dont je vais avoir l'insigne honneur de te porter à la connaissance.

Flash-back, please ! Merci.

Inouï, formide, fantastique, incroyable mais vrai.

Pour la première fois depuis je ne sais quelle autre dernière, le Vieux m'a fixé rancard dans un bar.

T'as bien lu, ou faut te le traduire en braille ? Dans un bar. Un vrai, avec un comptoir, des tables, des chaises, un barman saboulé pingouin, une odeur de croissants chauds, les chiottes au sous-sol, une percolateur produisant le bruit du vénérable Trans-Orient-Express entrant dans la gare d'Istanbul, un pionard éclusant du calva, une dame demandant un jeton de téléphone, un patron bougnat avec des varices au nez et des hémorroïdes ailleurs, plus, sur les murs, des affichettes concernant des spectacles datant de l'année où il a fait tellement beau qu'on a encadré le baromètre.

Quand il m'a téléphoné *the morninge*, le Vénérable, je n'en croyais pas mes trompes ; me suis dit que je devais bouchonner des feuilles et qu'un lavage chez l'oto-rhino-céros s'imposait. Mais non, il venait bien d'enjoindre : « A onze heures, au *Bar des Copains*, avenue de Longchamp. »

Le *Bar des Copains*, lui !

A moi, moi !

Merde !

Et alors, comme onze heures sonnent aux clochers consciencieux, je pousse la lourde du troquet en question et j'aperçois Mister Big Man au fond, à une table discrète, kif un vieux kroum ayant filé la ranque à sa secrétaire pour s'aller faire reluire dans une honorable maison d'accueil à double issue avec glaces au plafond.

Je lui viens contre, il me sourit, me condescend une main de cinq doigts admirablement entretenue et me désigne la chaise d'en face.

Il écluse un café serré, à petites gorgées d'Oriental.

— Dites-moi, mon cher ami, il y a belle lurette que vous n'avez pas pris de vacances, hé ?

Oh ! la drôlement bizarre question que voilà ! Et qui doit cacher un autre train.

— Une dizaine de mois, je pense, monsieur le directeur...

— Un grand, un beau voyage, dans les meilleures conditions, cela vous dirait ?

— Je suis toujours partant, monsieur le directeur. Je sais bien que pierre qui roule n'amasse pas mousse, mais il m'a toujours paru vain de vouloir thésauriser de la mousse. Cela dit, s'agit-il d'une mission ou de vacances ?

Il a un pincement de ses sourcils qui les met en

posture d'envol, et puis ils refont du plané au-dessus de ses prunelles couleur de crachats polaires.

— Ni tout à fait l'une ni toutefois l'autre, mon bon. Avez-vous entendu parler des Etablissements Laguêpe ? Dessous féminins, gaines et soutiens-gorge ?

— Bien entendu, mens-je.

— Le p-d.g. de cette firme, Victor Héatravaire, est un vieil ami à moi ; chaque année, je vais tirer le faisan sur ses terres solognotes.

J'attends la suite.

Elle vient mollo. Visiblement, le Vioque est gêné d'avoir à formuler la requête dont je suis là pour l'entendre. Voilà pourquoi il m'a rancardé dans un troquet, et non pas dans la chapelle ardente de son bureau de souverain poncif. On fait dans l'officieux, ce matin. Le marginal confidentiel, l'extra-professionnel. Pas tellement son genre. Voilà pourquoi il se dissimule derrière le mot vacances, le place devant notre converse, comme un paravent devant un bidet. Un grand pudique, Pépère. Jésuitard jusqu'à l'os, le vieux chatophage, roi de la minette chantée selon certaines belles auxquelles il a pratiqué sa fameuse tyrolienne aphone de réputation mondiale.

— Le mois dernier, reprend Messire le King, Victor Héatravaire est parti faire un voyage en Extrême-Orient. Celui-ci était prévu pour une durée de quinze jours : Japon, Hong Kong, Thaïlande et retour. Il a passé six jours à Tokyo, quatre jours à Hong Kong d'où il a téléphoné chez lui à plusieurs reprises, et il a quitté l'hôtel *Peninsula* en début d'après-midi, le 24 avril, pour prendre un vol en direction de Bangkok où il a débarqué quelques heures plus tard. Un appartement lui était réservé à l'hôtel *Oriental :* il ne s'y est jamais présenté et depuis lors sa famille n'a plus eu la moindre nouvelle de lui. Nous nous sommes mis en rapport avec l'ambassade de France à Bangkok, laquelle a alerté les autorités. La police locale s'est livrée à une enquête. Tout ce qu'elle est parvenue à établir, c'est que mon ami a bel et bien débarqué en Thaïlande. On a retrouvé ses fiches de déclaration douanières rédigées de sa main. Mais il a été impossible de déterminer ce qu'il a fait en quittant l'aéroport. Aucun chauffeur de taxi ne se rappelle l'avoir chargé. Aucun hôtel ne l'a hébergé et il ne connaissait personne là-bas. Or nous sommes le 8 mai, San-Antonio. Vous jugez de l'inquiétude des siens...

Sur ce, il se tait car un homme s'approche de notre table. Un gars d'une petite quarantaine, assez beau, fringué urf, avec un air de se prendre pour tout ce qu'il y a d'important entre la reine d'Angleterre et le Bon Dieu de ton choix.

— Ah ! cher ami, je mettais le commissaire San-Antonio au courant de la situation, s'empresse le dirluche.

Et à mézigue :

— Je vous présente monsieur Jean-Michel Héatravaire, le fils de mon excellent ami dont le sort nous inquiète tellement. Rien de nouveau, Jean-Michou ?

L'autre répond d'une mimique qui lui mériterait un premier accessit de dindonnage au conservatoire de balourdise. Navrance, épuisement cérébral, désespoir surmonté, résignation en cours de formation, scepticisme quant à l'avenir, voilà ce qu'exprime sa gueule d'enfoiré grand luxe, habillé à la scène comme à la ville par ses parents.

— Vous avez déjà compris où je voulais en venir, mon bon ? reprend le Dabuche.

— Il me semble, monsieur le directeur, vous souhaiteriez que j'aille faire un tour à Bangkok ?

— Bravo ! dit le Vieux, soulagé d'être arrivé au bout de son propos.

Le loufiat vient prendre la commande du fils Machin, mais ce dernier ne se rabaisse pas à écluser dans un troquet. Lui, il boit des scotchs de trente ans d'âge dans des club-houses, aussi répond-il à la demande du serveur par une nouvelle mimique horrifiée qui met l'autre en fuite.

Je le défrime sans joie. C'est la toute superbe gueule de raie, qui, au premier contact, inspire l'antipathie. Le bambocheur grand style : nénettes coûteuses, bagnoles de play-boy, sorties mondaines. Jet society, comme ils disent, ces cons. *Very high !* Papa a dû démarrer de pas grand-chose et se crever l'oigne au labeur, marner vingt heures par jour, mordre dans le lard, entreprendre, risquer, réaliser, édifier. Et bébé rose s'est pointé dans du satin. Il a eu droit aux cuirs rembourrés, aux pièces climatisées, à la coule douce.

C'est leur péché, les pères laborieux, de se fignoler des vauriens dont les creux de mains sont pleins de poils longs comme la barbe à Démis Roussos. Un défi lancé au sort qu'ils ont su dominer et vaincre. Ils révèrent leur descendance, la choient, l'enduvettent. C'est un peu comme s'ils se faisaient un cadeau par génération suivante interposée ; ils compensent leurs nuits blanches par les nuits roses de leurs garnements. Et bon, quoi, merde, la nature humaine est ainsi, qu'y peux-je ?

Le Jean-Michou déclare, sans me regarder :

— Il faut que nous sachions ce qui est arrivé à mon père. Mort ou vivant, il doit être retrouvé, car au plan des affaires la situation est intolérable.

Les affaires ! Bien sûr.

— Si vous preniez quinze jours de congé, San-

Antonio ? suggère le Vieux. Naturellement, la famille Héatravaire couvrira tous vos frais.

Troisième mimique du grand con, pour dire qu'évidemment, il ne songe pas demander à un flic purotin de partir à ses frais.

Je hoche la tête.

— Je ne puis aller seul là-bas, il me faut Bérurier.

— Si vous le jugez utile, murmure le Vieux.

— Indispensable, tranché-je.

— O.K., laisse tomber le dédaigneux.

— En outre, je dois disposer d'un crédit très large, car une fois sur place, je pourrais être amené à engager des dépenses coûteuses, et il n'est pas question d'agir à l'économie.

Le Vieux s'émeut, peu habitué à ce langage. Il frémit et, s'adressant au fils Dugenou :

— Vous savez, Jean-Michou, le commissaire est un homme d'une totale intégrité, s'empresse-t-il, et il n'a pas l'habitude de jeter l'argent par les fenêtres, non plus que de faire sa pelote à la faveur de telles circonstances...

Le fils à papa Héatravaire renfrognise un brin. Le blé, il aime le claquer lui-même ; il tolère que des potes de partouzes ou des souris qui ont les seins plus hauts que les yeux lui donnent un coup de main, à la rigueur, mais point à la ligne.

Alors, il biaise un chouïa, bien marquer son manque d'enthousiasme :

— J'ai confiance en vous, dit-il au Dirluche.

Ce qui implique qu'autrement sinon, il éprouverait plutôt de la défiance à mon endroit, le veau.

Je lui dédicace un sourire à reflets verdâtres, comme en ont les masques de Dracula.

— Monsieur Héatravaire, je susurre, j'aimerais que vous vous pénétriez bien d'une évidence, avant que nous n'allions plus avant dans ce projet : ce n'est pas moi qui suggère d'enquêter en Extrême-Orient. A vrai dire, la chose m'enthousiasme peu et quand monsieur le directeur parle de vacances, je trouve qu'il fait là un euphémisme de belle venue. Débarquer dans un pays dont j'ignore tout, pour essayer d'y retrouver un touriste disparu depuis quinze jours, passez-moi l'expression, mais ça n'est pas du biscuit. Alors vous allez me prendre deux allers-retours en first, me retenir deux très bonnes chambres à l'hôtel *Oriental,* qui est la perle de Bangkok du point de vue hôtellerie ; me remettre la contrevaleur d'un million d'anciens francs en monnaie du pays, et m'ouvrir un compte privé à l'*American Express* pour la durée de ce séjour ; ainsi vous sera-t-il loisible de contrôler mes dépenses. En outre, si vous êtes d'accord, je me livrerai dans la journée à une petite enquête préalable dans l'environnement de monsieur votre père.

Ayant ainsi jacté, je lance un signal de détresse au loufiat qui croisait à quelques encablures du rivage et lui enjoins d'apporter deux bloody-mary.

— Pourquoi deux ? s'inquiète Achille-le-déplumé.

— Parce que vous n'êtes pas le seul à raffoler de cette étrange mixture, monsieur le directeur, rétorqué-je, avec une pincée d'impertinence dans le ton ; il est des matins où mes papilles gustatives se souviennent de la veille. J'ai eu une soirée tardive et chargée en compagnie d'une aimable donzelle qui a tendance à prendre la nuit pour le jour et le whisky sec pour de l'eau pure...

Comme tu le vois, l'artiste, j'ai becqueté du lion, ce morninge. Et du vrai ; du lion de l'Atlas (de géographie), pas du bestiau bâilleur comme celui de la Métro...

L'héritier des soutiens-loloches Laguêpe est un peu subjugué par mon autorité. C'est le genre de connard dont il faut souffler le caquet comme un quinquet. Alors, ils s'éteignent et fumassent silencieusement en répandant une vague odeur de chandelle moisie.

— Je ferai comme vous le voudrez, glapatouille cette nave altière. Ma secrétaire s'occupera tantôt de toutes les modalités...

Je dis au Vieux :

— Quant à vous, patron, vous enverrez quelqu'un au consulat de Thaïlande avec nos passeports pour les visas.

— Bien entendu, s'empresse Pépère dont, soudain, tu pourrais penser qu'il est mon subordonné, tellement tu le verrais soumis, à ma botte, tout bien, paillasson presque, moi je dis.

Je sors de ma fouille un brin de carnet et mon superbe stylo or et argent véridique que m'a offert cette dame que j'ai si remarquablement baisée, le mois dernier, pendant que son amant était en voyage.

— Votre père est marié ? j'interroge.

— Veuf.

— Il vit seul ?

— Plus ou moins, il traîne une vieille liaison avec une ancienne secrétaire qui occupe un appartement au sixième étage de son immeuble. Ce n'est pas exactement la vie en commun, mais ça y ressemble de près.

— Quel âge a-t-il ?

— Soixante-huit.

— Vous avez une photo de lui ?

— Voici.

Je prends le cliché qu'il vient d'extraire de sa vague. Ça représente Victor Héatravaire en tennisman, souriant. Un homme costaud, sympa, cheveux gris très drus pour son âge, gueule de baroudeur qui n'a pas peur de l'existence. On sent que ce vieux-là existe en trombe, qu'il boit sec, pratique des tas de sports, baise tous les jours et ne roule pas en char à bœufs.

Son regard est planté dans l'objectif comme dans les yeux d'un marchand de voitures d'occasion qui chercherait à lui fourguer une vieille traction avant en affirmant qu'il s'agit de la nouvelle Rolls.

— Vous permettez, n'attends-je pas qu'il permette, en enfouillant la photo. Quelle est l'adresse de votre père ?

— Avenue Gabriel, au 213.

— Celle de vos usines ?

— Boulevard Karl Marx à Villejuif.

— Vous vous occupez de l'affaire également ?

— Je suis chargé de la partie promotionnelle.

Je vois le topo : foirinette avec quelques chargés de presse, gueuletons dans des endroits huppés... Le traîne-patins de luxe, quoi !

— Il est parti seul, en Extrême-Orient ?

— Oui, car sa chère et tendre déteste les voyages.

— Sans ami, sans collaborateur ?

— Seul, quoi ! Cela lui arrive environ tous les deux ans. Papa ne prend jamais de vacances, mais de temps à autre, il s'offre un grand voyage. Le dernier, c'était le Brésil.

— Question routinière : il n'avait pas d'ennemis ?

— Pas que je sache. C'est un type coriace en affaires, mais régulier.

Le garçon apporte deux bloody-mary mal dosés. Il n'est pas barman professionnel et a chichoité sur la vodka. De plus, son jus de tomate a un goût de rouille ; quant à la sauce anglaise, connaît pas.

Mister Jean-Michou attends la suite. Qu'il attende...

Je rêvasse. Le sort du père Héatravaire ne me dit rien qui vaille. Quand tu disparais, au sortir d'un aéroport, dans une ville d'Asie aussi grouillante que je devine Bangkok, et que depuis quinze jours on est sans nouvelles de ta pomme, c'est qu'il y a un os sérieux dans ta trajectoire, l'ami.

— Bien entendu, aucune demande de rançon ne vous a été adressée ? soupiré-je.

— Aucune.

— Il avait des projets, concernant la Thaïlande ?

— Rien de particulier, sinon la visiter ; comme il a visité le Japon, comme il a visité Hong Kong...

Sa superbe l'a réintégré, le grand connard, bellâtre déjà, tu le verrais, suffisant ! C'est le pire, les cons, leur suffisance... Nous tous, si dépourvus, si en manque, si en appel. Nous tous, grands cris muets d'infinie détresse... Et quelques qui se suffisent, qui osent même suffire pour les autres ! Merde ! Bien sûr, faudrait pouvoir les frapper. Avoir le droit de gnons sur les dindons fieffés comme Jean-Michel. Rien qu'au vu de leur pédanterie, pouvoir s'amener contre eux, une baffe à la main, et vlan, les mornifler d'importance. Les décaqueter par la force, les contraindre, quoi ! Me vient des ambitions moyenâgeuses, à force. La Question, je souhaiterais : les brodequins, l'entonnoir, les tenailles rougies, tout bien, la panoplie au grand et petit complet du bourreau qui n'est pas seulement de Béthune ! Samson sans Dalida ! Les fouailler, tu comprends ? Fouet, écartelade, roue, toute la lyre ! Jusqu'à les prendre en pitié et se mettre en posture de leur demander pardon. Voilà, l'hic : les molester pour enfin se sentir près d'eux, en fraternité. Les martyriser pour pouvoir les aimer quand ils sont dolents, saignants, brisés, en épaverie humaine. Bon, on a le recours de leur passer outre, s'éloigner d'eux vitement comme jadis des lépreux manieurs de crécelles. Mais quand il y a les circonstances forçantes, hein ? Comme maintenant, à cette table du *bistrot des Copains ?* Quand obligation t'est faite de les subir ?

Ah ! la vie me pompe l'air, parfois, je te jure. On s'épuise à co-exister. J'en ai marre d'aller en champ aux cons, comme on dit dans ma province natale : « on va en champ aux vaches, ou bien aux chèvres ». Et je me rappelle même : aux oies. La Wermacht en blanc, chaussée de jaune, patati-patatant ! Heil Adolf !

Alors, bon, très bien, le vieux Victor Héatravaire s'est payé la virouze asiatique. Et depuis sa dernière escale : silence complet. Pourtant, Bangkok, c'est pas le triangle des Bermudes, si ?

— Quand comptez-vous partir, mon cher ami ? risque le Vieux ; lequel, curieusement, semble dépassé par l'événement, ce matin.

Il a perdu son autorité incisive. Rien de plus tristet, dans le fond, qu'un tyran qui fait relâche. Achille a un peu honte d'embarquer ses fonctionnaires dans une enquête privée. Le travail au noir, ça lui asticote la conscience professionnelle, à cézigus.

— Dès demain, si possible, réponds-je.

Et je demande au rejeton de la gaine Laguêpe :

— Etes-vous marié, monsieur Héatravaire ?

Il en reste coi.

— Je ne vois pas le rapport...

Je le fixe en souriant, le regard probablement inquisiteur et énigmatique. Il est con, mais il sent parfaitement que je ne peux pas le souder.

Il finit par *arcticuler* (car il a la voix polaire) :

— Je suis divorcé.

— Vous n'habitez pas avec votre père ?

— Non : mais dans le même immeuble.

Voilà qui est marrant, non ? Papa, sa vieille maîtresse, son grand fiston, tout ça vit sous le même toit. A des niveaux différents, mais sous le même toit. La ruche, quoi !

— Quel est le nom de la personne qui partage la vie de votre papa ?

J'ai usé exprès du mot papa, parce que, s'appliquant aux Héatravaire, il implique confusément quelque chose de péjoratif. Jean-Michou est un fils à papa. Et rien que. Sans papa, il gratterait dans un burlingue, ou bien ferait l'élevage de l'abeille dans un village abandonné de Haute-Provence, en compagnie d'une gonzesse mal lavée...

— Mme Clarisse Clarance.

Ça fait sociétaire de la Comédie Française au siècle dernier, un blaze pareil ! Je l'entends bramer *Phèdre* devant la rampe, la vioque.

— Eh bien ce sera tout, monsieur Héatravaire. Du moins pour l'instant. Donnez-moi les numéros téléphoniques me permettant éventuellement de vous joindre à toutes heures du jour et de la nuit, car le décalage horaire est vicieux.

Il m'allonge trois numéros : son fil privé, celui de son bureau, plus un autre qui doit appartenir à une camarade de sommier promue grande favorite pour l'instant.

Je me lève et serre leurs mains distinguées et un peu moites. Dehors, devant une porte cashère (l'immeuble est habité par un rabbin) une Ferrari rouge-cul-de-singe est stationnée à la diable. Je te parie un coup de pompe dans le cul qu'elle appartient à Jean-Michel Dunœud.

Bon, et alors moi, je looke ma montre. J'hésite sur quel pied danser. En choisis un et mets le cap sur Villejuif.

⁂

Je te narre depuis le bar de l'hôtel *Oriental* de Bangkok... Je réminisce en buvant j'ignore exactement quoi d'alcoolisé ; ce qui est idiot, qu'un jour vient où ton foie tu connais, irrémédiablement. Tout se paie. La vie ne fait pas de cadeau. C'est une saloperie usurière : elle inscrit tout, ajoute les intérêts, plus les intérêts des intérêts, et quand elle te présente la note : pardon, ça crache !

— A quoi t'est-ce tu gamberges ? s'inquiète Mister Dodu.

D'un geste en chasse-mouche-tsé-tsé, l'enjoins de pas faire chier le marin. Les méditations, ça se respecte.

Il résigne à commander un autre godet en guise de ma réponse par venue (1).

Et je retourne par la pensée à Villejuif-les-bains.

L'usine, pardon : la manufacture, c'est écrit immense et noir au fronton, du père Héatravaire. Ça dit comme ça :

« *Etablissement LAGUEPE* »
Manufacture de sous-vêtements féminins.

Féminins, j'aime. Allié à sous-vêtement, ça te remue déjà sous les burnes.

Ce qui surprend quand tu pénètres, c'est une sorte d'apathie. Je sais bien qu'il est tantôt midi et que l'apathie vient en mangeant, mais une pareille déroute. Le silence, tu comprends ? Une manufacture, fût-elle futile voire de Saint-Etienne, est génératrice de brouhaha. Or, laguche, c'est moins bruyant qu'au cimetière Montmartre.

Je passe devant la boutique du gardien et personne ne m'interpelle. Je vais au bâtiment, gravis un perron

(1) Tu te rends compte comme je m'exprime, maintenant !

conduisant à une double porte vitrée marquée « Bureaux ». Pousse le vantail de droite et me retrouve dans un hall qui fait songer à celui d'un hôpital de province perdue d'avant la guerre de Septante.

Un guichet vitré, mais personne derrière.

Et non seulement personne, mais de plus : rien. Une pièce vide. Désolation ! Des toiles d'araignée festonnent de-ci et même de-là.

Je pénètre plus avant. Me semble percevoir un bruit de converse derrière une lourde. Je toque. Une voix brutale me conduit à entrer. Je me trouve dans un vaste bureau vieillottement arrangé en cabinet directorial. Un burlingue, dit ministre, des fauteuils recouverts de cuir à l'anglaise, au mur une immense photo dans un cadre mouluré représentant la première version de la Manufacture Laguêpe, attendrissante de modestie. Un canapé du même cuir que les fauteuils, des classeurs en acajou surmontés de bustes et de torses féminins en plâtre de Paris (ou banlieue). Plus un gigantesque tapis plus râpé que persan, et tu as une idée sommaire du lieu. Ajoute deux très grandes fenêtres affublées de rideaux raides de poussière et tu sauras vraiment tout. Ces fenêtres permettent une vue imprenable sur la vaste cour de la manufacture où sont rangées quelques automobiles et des vélomoteurs.

Derrière le bureau, un vieux mec parle en gesticulant comme un qui serait énervé ou alors italien. Il a les cheveux blancs rejetés en arrière, une petite gueule triangulaire toute ridée, tu me suis ? Il roule les « r » en jactant et, de sa main libre bat un ra sur son sous-main de cuir à l'aide d'une règle métallique.

Il finit de dire à son interlocuteur que « bon, très bien, il va voir ça et le tiendra au courant » raccroche, braque sur moi deux yeux clairs de brave homme dont l'intelligence ne l'empêchera pas de dormir la nuit prochaine, et me dit « Oui, monsieur ? » avec la visible envie d'en savoir plus sur les Français qui bougent.

Je n'y vais pas par quatre chemins, n'étant pas cardinal, et lui présente ma carte professionnelle.

Il opine.

— Je suppose que ça concerne le silence de Victor ? me demande-t-il, très pertinemment pour son âge, j'en conviens.

— Exactement, fais-je en prenant place en face de lui. Vous êtes un collaborateur de M. Héatravaire ?

— Son bras droit et son meilleur ami, précise mon interloc, nous nous connaissons depuis la communale.

Il a la mine chagrine, tout soudain, tristette en plein, de songer à son pote-patron disparu dans la nature asiatique.

— Vous avez une opinion à propos de ce silence ? attaqué-je.

Il hausse les épaules, lisse ses blancs cheveux d'une main qui sucre un peu.

— Pas la moindre, il n'était pas dans les habitudes de Victor de nous laisser sans nouvelles très longtemps ; d'ailleurs, il s'absentait rarement.

— Vous lui connaissiez des ennemis ?

Mon terlocuteur lève ses bras au plafond et je remarque qu'il les a extrêmement courts : bras de poupée en inharmonie avec le reste du corps. Il roule tellement les « r » qu'à tout bout de phrase je crains de le voir déraper sur sa conversation.

— Victor n'a jamais eu d'ennemis, parce qu'il n'a jamais laissé le temps à personne de devenir son ennemi. C'est un battant, ancien rugbyman, il jouait dans l'équipe d'Oloron-Sainte-Marie comme pilier.

Il évoque avec encore de l'admiration dans la voix

trémolesque. Lui, crevure, physiquement bon à moins de nibe, un peu nabot, ne pouvait qu'encourager des tribunes.

— Quel est votre nom, au fait ? je demande.

— Alphonse Dadet, récite-t-il, toujours en roulant les « r », bien que son *surname* et son *christian name* n'en comportassent point.

— Parlez-moi un peu de la vie privée de votre ami, là, d'homme à homme, monsieur Dadet, demandé-je avec un franc sourire plein de « vas-y, mon grand, dis-moi tout ».

Il hoche la tête.

— Oh ! lui, vous savez... solide vivant, bien vivant, bon vivant... Il a une vieille amie qu'il garde par habitude ; un fils qui n'en fiche pas la rame, quelques copains avec lesquels il joue au golf, ce qui est devenu sa passion. Il aime la bonne bouffe, se paie de temps à autre une petite pétasse ; à part ça, je ne vois rien à signaler.

— Les affaires ?

Là, mon nabot (tiens, pourquoi ne l'ai-je pas appelé Léon ?) fait la grimace.

— Vous savez, elles ne sont pas brillantes. Depuis quelques années, les dessous féminins sont en voie de disparition. Les gaines, n'en parlons plus ; excepté quelques grosses charcutières de province, qui donc en met ? Pour les soutiens-gorge, c'est pareil, ces dames se baladent avec les loloches en chute libre sous leurs ticheurtes, et même, si je vous disais, elles renoncent aux slips, les salopes, se contentant d'un kleenex à l'entrejambe du jean. Nous vivons nos ultimes instants. Quand vous êtes arrivés, je discutais précisément avec le directeur de la banque qui nous somme de ne plus laisser davantage en rouge notre compte. Mais comment voulez-vous que je le repasse au noir, ce compte, moi ? Nous avions cent dix ouvriers naguère et il n'en reste plus que huit aujourd'hui, dont trois sont chargés de l'entretien des locaux et deux en chômage !

— Comment réagissait M. Héatravaire devant cette situation ?

Alphonse Dadet me décoche une aigre grimace.

— Je ne sais pas si c'était un effet de l'âge, mais il paraissait se désintéresser de la question. Je crois que son fils l'a beaucoup déçu et qu'il a renoncé à se battre pour lui. Quand je l'entretenais du critique de notre position, il me répondait « Que veux-tu que j'y fasse, Alphonse ? Je suis né pauvre, je mourrai donc pauvre, ç'aura été une belle aventure, je finirai mes jours en vivant de souvenirs et de pain sec ! » Et puis il riait ! Et il s'offrait un voyage en Extrême-Orient, par-dessus le marché, charmant, non ?

Vachetement amer, le Petitout. La galère prend l'eau de toute part et il est seul à ramer encore, tout en sachant que c'est foutu. Tandis qu'il subit les ultimatums (de Savoie) des banquiers et des fournisseurs, son pote, le vaillant gagneur, va se baguenauder les couennes à l'autre bout du monde, merde ! Merci bien, on comprend son aigreur à ce petit Dadet. Le sous-fifre héroïque, attaché au gouvernail afin de sombrer avec le barlu. Digne de l'amitié et de la confiance de Victor Héatravaire jusqu'à son dernier souffle. Ensuite, il retournera dans la petite baraque héritée de sa mère à Oloron-Sainte-Marie (priez pour lui !) et il remâchera ses nostalges en regardant les cimes enneigées des Pyrénées (car il y en a encore, quoi qu'on prétende).

Je le laisse pour aller rendre visite à dame Clarisse Clarance, l'élue de cœur du disparu.

*
**

Elle est à table lorsque je me pointe et vient m'ouvrir, sa serviette à la main, tandis que son dentier funambulesque continue de clapper en rongeur herbivore un morceau de barbaque pour lequel il semble inapte.

C'est une vieille peau mistifrisée, avec des cheveux bleus, des lunettes qui lui pendent sur la poitrine, maintenues par une chaînette d'or, des rides en quantité industrielle, et des lèvres qui restent en coups de serpe bien qu'elle les ait surchargées d'un ravissant produit cyclamen. Triste frime que celle de cette personne. Si les morts pouvaient être chiants, elle aurait l'air d'être morte. Seulement ses petits yeux sont agressifs, de même que sa voix et elle cause pour dire des désagréabilités notoires.

— Qui êtes-vous et qui vous permet de rendre visite aux gens à l'heure du déjeuner ? me décoche-t-elle comme une volée de flèches dans un film de Peaux-Rouges.

Je lui montre ma carte.

— Je suis chargé d'enquêter sur la disparition de M. Héatravaire, madame.

— Moi, je suis à table, riposte-t-elle.

— Et moi, je suis pressé, surenchéris-je.

— Qu'espérez-vous en venant ici ? Le dénicher dans ma garde-robe ?

— Pas exactement, mais du moins obtenir certains renseignements qui me permettront d'orienter mon enquête.

Elle hausse les épaules.

— Votre enquête ! Ne vous fatiguez pas, va. Ce gredin est tout simplement en train de s'en donner à cœur joie avec une gourgandine de là-bas. Il paraît que la Thaïlande est le pays des catins. On les prend au berceau, là-bas, et on les forme dans des institutions spécialisées. Coureur comme il est, ce chaud lapin se sera précipité dans une maison de plaisirs où il batifole à s'en vider les testicules pour tout jamais. Allez, au revoir, monsieur, l'émincé de veau n'attend pas.

Et elle me claque la porte au nez...

— T'as vraiment l'air en plein coaltar, s'inquiète le Gravos. C'est la chaleur qui te fait c't'effet ?

Je reviens à moi, à lui, à nos moutons, si mignons...

Voilà, telle fut la journée d'avant-hier.

Le lendemain, nous sommes partis, Béru et moi. Escale à Bombay. Et puis on arrive ici, on s'installe, et à peine que, voilà qu'on manque prendre des défenestrés sur le coin de la gueule.

Drôle de pays, non ? Où il pleut du mec !

Ce qui s'impose à toi, avant toute chose, à Bangkok (de bruyère) c'est le bruit. La circulation est inouïe, et je pèse mes mots pour ne pas dépasser la dose prescrite ! Ce vacarme, mes frères ! C'est dense, ardent, pétaradant, grouillesque. Ça tonitrue, vocifère, mugit pis que ces féroces soldats qui viennent jusque chez Gainsbourg égorger nos femmes et nos tympans ! Les moteurs à deux temps et trois mouvements s'en donnent à pleins avertisseurs. Tu respires un air surchauffé, saturé de vapeurs d'essence, que merde, vivement qu'ils aient asséché leurs saloperies de puits avec leurs frais derricks d'art, qu'on retrouve enfin les chars à bœufs feignants !

Au bout de vingt pas tu es en nage. Au bout de cent, en âge de te faire admettre dans un hosto de gériatrie pour liquéfaction des cellules. Les bagnoles pourries déferlent comme si elles accomplissaient des numéros de stock-car. Rodéo permanent ! Ça double à droite, à gauche, par-dessus, ça queue-de-poissonne, ça tintamarre (au diable) (1). Les immeubles ne dépassent pas

(1) Dans celui-ci je suis décidé à ne pas te faire grâce d'un calembour, d'un jeu de mots ou d'un à-peu-près, ma vache. Parce que j'ai compris : c'est pas la peine de te chiader de la littérature : ça te fait bâiller.

deux étages, sauf imprévu. Les boutiques sont tristettes, mais le populo semble tout joyce d'être au monde et d'y voir clair à travers les fentes de ses stores.

Nous suivons l'une des deux rues principales dont je ne te dis pas le nom, qu'à quoi bon je vais me faire chier la bite à compulser le plan de la ville, si ? D'ailleurs, t'es comme moi : tu l'oublieras tout de suite. Quand je vois mes choses-frères consciencieux qui te potassent tout à bloc, pas dire de connerie, qu'on ne puisse les prendre en défaut. Tout bien, alors que le lecteur s'en torche le rectum et sa périphérie ! Que le plus simple, selon moi et saint Matthieu, c'est de dire n'importe quoi qui te passe par la tête, vu que ce qui me passe par la tête, à moi, est bien plus passionnant que ce qui passe par les rues de Bangkok, espère ! Et je peux t'en répondre, ayant eu l'occasion de comparer. Juste je te raconterai des petits trucs de-ci et là pour la couleur locale. Par exemple qu'on voit passer un troupeau de bonzes, rasibus du crâne et d'orange vêtus, tu vois ? Very Nice comme on dit sur la promenade des Anglais. Très very joli, coloré. Un orange éclatant, lumineux, soleil, quoi, pour bien préciser. Et puis la circulation que je te faisais état y a pas vingt lignes se compose en grande majorité d'étranges véhicules à trois roues, à bord desquels des chiées de gonziers s'agglutinent. Et puis les vélomoteurs, et les taxis fous. Et même, tiens-toi bien, y a du tangage : un éléphant rugueux, voyageur lent et rude, comme disait M. le comte (de Lille), avec pour cornac un beau gamin aux pieds nus, juché tout là-haut sur la raie du milieu de la bestiole, et rigoleur d'à pleines dents blanches. Et l'éléphant pénardos, sur le trottoir... Des choses, quoi, pour cons-kodak de passage : clic clac ! Mais y a pas de quoi se faire une infusion de doigts de pieds.

On marche cinq ou six minutes puis, terrassés par la chaleur et le boucan, on décide de se payer un bahut. Je lève la main. Aussi sec, une petite Datsun (parce que les Japs ne permettent pas à ceux d'Extrême-Orient d'acheter, fût-ce un bouton de braguette, ailleurs qu'à Tokyo-les-bains-de-foule) s'arrête à cinq cents mètres : le temps de freiner.

Ravagée de la cave au grenier, la Datsun. Putain d'elle, ces haillons de ferraille qu'elle constitue, la pauvrette. César aurait à la compresser, il obtiendrait juste un petit passe-thé (de campagne). Bon, on s'y jette nez en moins. Béru achève d'écraser le semblant de banquette dépenaillée. Se prend un ressort dans le baigneur, l'artiste : un mahousse, à boudin, tout vibreur comme une pine d'âne. Son bénouze en est trucidé. Il égosille. Moi, pendant qu'il se colmate le Mazarin, je tâche d'expliquer au man-driver qu'on se rend à l'hôtel de police. Cézigue, tout mignard sur son siège, tu le croirais atteint de coliques frénétiques. Il tressaille, fibrille, grouillasse à son voltock, ce petit nœud jaune. Comprend balpeau d'anglais, bien que faisant semblant de le jacter en répondant *yes sœur* quand tu lui dis *do you speak english*. Il est beurré d'illusions, mister Magot. Des tas de gens sont pareils : se vantant de tout, et croyant dire vrai, et puis, mis au pied du mur, s'avérant (pas correct, mais fume !) bons à nibe, à zob, à rien ! Police, ça, il veut bien, mais c'est le côté Maison-Mère de la chose qui lui échappe. Je lui fais des dessins, il opine. On démarre en fusée Cosmos. Cap Carnaval ! En route ! Et mon Béru de bieurler de plus rechef. Faut dire qu'il y a un trou large comme un couvercle de lessiveuse dans le plancher de la guinde et qu'il a les targettes sur la chaussée, le Gravos.

— Eh dis, merde, j'y vais à pied ! il hurle.

Je le remonte *in extremis*, grâce au peu de latin dont je dispose. Il loge ses cannes sur le dossier de la banquette avant, ce qui est bon pour la circulation du sang, et aussi pour celle de la rue Chose-Truc.

Franchement, Bangkok est une ville immense ; et vraiment c'était pas la peine.

Pourquoi construire des villes de cette ampleur puisqu'elles sont dénuées d'intérêt, comme dirait Sa Majesté ? Ils sont cons de coaguler ainsi, les hommes. Quand c'est pour faire Paris, Londres, Rome ou Rio, bon, je conçois et opine. Mais des bleds casse-couilles, qui te font tressauter la cervelle et te donnent envie de gerber, hein ?

Bref, après des tours, contours, fausses manœuvres, risques en tout genre, on finit par débarquer devant un bâtiment blanc au fronton duquel flotte le drapeau thaïlandais, qui n'est pas sans rappeler le nôtre puisqu'il est bleu blanc rouge, lui aussi, mais en traviole (une bande rouge, une blanche, une bleue, une blanche, une rouge, regarde sur le Larousse, c'est assez classique, de bon ton, moi je trouve ; pour tout dire, il fait assez drapeau, quoi). Pas comme celui de Ceylan, par exemple, ou du Kenya qui ont un petit côté imité de Lurçat.

J'ai des lettres d'intromission.

Les fais valoir à qui de droit.

Si bien que je suis reçu par un certain commissaire Raï Duku, qui est attaché au bureau du grand patron, lequel a pour nom Têkunpovkon, histoire de t'amuser au passage.

Mon homologue, comme on dit puis dans les hémisphères motorisés, est gazouilleur tout plein, et pas plus haut qu'un caniche qui fait le beau. Il nous reçoit de bonne grâce et, ô miracle, s'exprime dans un français des plus corrects.

J'y explique l'objet de notre venue. Il frétille comme un garçon de café au bout d'une ligne téléphonique (tu le vois, dans ce book, c'est n'importe quoi ! Et c'est très bien ainsi).

Le genre affable, comme Florian. Approuvant chaque mot qui te tombe du clappoir, jubilant d'un pied sur l'autre. Si jaune et dru, tu dirais une envie de pisser, cet homme !

Je lui demande ce qu'il pense de cette disparition et s'il a une version de l'affaire. Il affirme qu'au grand jamais une chose pareille ne s'était auparavant produite en Thaïlande, terre de liberté. D'ailleurs, thaï signifie libre. Pays libre ! Ici, pour être plus libre, on met les communistes en prison, c'est vous dire ! Liberté intégrale. Il nous raconte des tas de choses intéressantes sur l'ancien Siam, célèbre pour ses sœurs. Qu'à la longue, Béru se permet de l'interrompir.

— Dites, collègue, vos indisgressions Guides Bleus, c'est pas ça qui va faire avancer le chemise-bique (il veut dire chmilblick, du nom d'une fameuse émission culturelle) qui c'est-t'il qu'a enquêté sur c't'affure qu'on vous cause ?

Ainsi pris à partie, le commissaire Raï Duku dégoupille son téléphone interne et se met à jacter dans sa langue, que tu croirais qu'il joue du xylophone, tant tellement il en met un coup et que c'est percussionnant. Lorsque t'écoutes parler ces dialectes-là, tu te demandes s'ils comprennent vraiment ce qu'ils se disent, les usagers, ou s'ils font juste semblant, pour laisser croire des choses. Prolixe, le mec ! Les minutes passent et ils continuent d'en casser à la vitesse d'un écureuil grignotant des noisettes. Par les fenêtres fermées, à cause de l'air conditionné, on perçoit la féroce rumeur de la ville, et ses gaz d'échappement composent une sorte d'immense fumerole qui tourbillonne dans le ciel bleu comme la vapeur d'un étron frais pondu (poésie pas morte).

Béru a quitté son pantalon puissamment troué par le ressort du bahut et, l'ayant étalé sur ses genoux, entreprend de colmater la voie d'eau à l'aide de trombones chipés sur le burlingue de notre honorable collègue. Il use des délicates agrafes comme de points de suture, en perce l'étoffe, pour confectionner pénélopement une sorte de « V » métallique. Dans les couloirs ça jacasse en thaï, voire en chinois. Je repense à la fabrique Laguêpe, là-bas, en plein naufrage, avec à sa barre, stoïque, le brave Alphonse Dadet dépecé par les banquiers aux dents rouges. Et je revois la mégère Clarisse Clarance, dont le regard jetait des éclairs comme dans un mauvais contact électrique. Et puis ce grand glandu de Jean-Michel, pilier de bar, tombeur de filles à l'horizontale... Drôle d'environnement pour un vieux battant comme on m'a dépeint Victor Héatravaire. Une vie conquise de haute lutte. Belle situasse, tout ça... Et puis l'écroulement, l'édifice qui part en sucette. Gravats, comptes en rouge, chômage. Ces dames qui remplacent le slip par un kleenex, les dégueulasses, merde ! Qu'on devrait en revenir à l'onanisme quand on évoque des machins pareils, moi je dis, et je suis de mon avis ! Le moment que choisit le père Victor pour partir visiter l'Extrêmorient, ce nœud ! Au lieu de tenter l'impossible pour renflouer le barlu, liquider au moins en douceur les ruines de son petit empire !

Raï Duku a enfin raccroché que je rêve encore. Et Béru rapetasse son futiau. Notre confrère le considère sans étonnement outremesuré, pensant que ça se passe probably ainsi dans la police françouaise, une et indivisible.

— Le chef inspecteur Wat Chiê va venir avec le dossier, annonce-t-il, c'est lui qui s'est occupé de l'affaire ; mais ne vous attendez pas à des choses positives car son enquête n'a rien donné. Il semble que votre compatriote s'est volatilisé en quittant l'aéroport.

Il nous propose un jus de fruit. Nous déclinons. Derrière lui, sur une console, y a un bouddha méditant (jambes croisées, mains posées sur les genoux, paumes tournées vers le ciel). A son côté, une peinture pareille à un dégueulis d'après banquet chinois, représente le roi Raba Tonfrok Ier, en tenue de couronnement, sur un éléphant blanc gancé d'or.

On entendrait voler le portefeuille d'un ministre, car l'ami Raï Duku continue de suivre le travail d'orfèvre du Gros, la bouche mousseuse, le regard dé-fendu par l'attention. Ses prunelles se mettent à ressembler à deux notes sur une portée de musique.

On toque à la lourde.

Duku lance un cri comme un coup de sifflet d'arbitre dans un match de foute. Le chef inspecteur Wat Chiê fait une entrée rétrécie, un dossier en bambou sous le bras. Il se prosterne devant nous, puis se relève et nous vient contre.

Il est vêtu d'un pantalon noir tire-bouchonné et d'un veston beaucoup trop long qui lui va comme des hémorroïdes à un pédé. Cette veste est en tissu synthétique gris à fines rayures. Par en dessous, il porte un tee-shirt sur lequel y a d'écrit comme ça en anglais *follow me,* ce qui veut dire suivez-moi. Et pour un flic, la devise vaut son pesant de menottes, non ?

Il jacte avec son supérieur hiéraldique. Au bout du sermon, Duku Raï traduit.

— Tout ce qu'il est parvenu à établir, c'est que votre

ressortissant a souscrit aux formalités douanières et retiré ses bagages. Trop de temps s'est écoulé avant que les autorités françaises ne nous alertent et il a été impossible de retrouver sa trace au sortir de l'aéroport. Le chef inspecteur a montré la photographie de ce monsieur à tous les chauffeurs de taxi qu'on a pu retrouver et qui stationnaient à l'arrivée du vol en provenance de Hong Kong ; aucun d'eux ne l'a pris en charge. On a également interrogé les employés des grands hôtels qui attendent les clients : négatif...

Wat Chiê suit à tâtons le déroulement des explications. Il approuve, çà et là. Marquant qu'il a fait ce qu'il a pouvu, mais qu'à l'impossible nul n'est détenu et que tant va le cachalot qu'à la fin il se case, et encore, selon ce que je crois déceler, qu'il ne faut pas jeter le Commanche après la poignée, c'est te dire la pauvreté d'une rare humilité à laquelle je me suis volontairement réduit, ayant présentement un grand malheur d'auteur autour de moi, et écrivant dessus, comme sur le dos du bossu de la rue Quincampoix ; volupté du clown cachant sa peine derrière un nez qui s'allume en débitant des niaiseries dont on s'efforce de rire parce que ça fait partie des conventions. Et que merde à tout et à tous !

Bon, je sais déjà que ces deux flics jaunes ne nous seront d'aucun recours.

— Pourriez-vous nous faire parvenir la liste des passagers qui ont emprunté le même vol que Victor Héatravaire ? je demande malgré mon scepticisme.

Duku traduit à Chiê qui paraît surpris mais qui t'opine (Hambour) comme un grand. Et Dieu sait !

Bérurier regagne son falzuche.

Sur quoi nous levons l'ancre.

⁂

— Et alors ? fait la voix toute proche et cependant si lointaine du Vieux.

— Je voudrais que vous me fassiez tenir la liste des passagers qui ont pris l'avion de Héatravaire Paris-Tokyo, en même temps que lui, Patron.

— Vous pensez qu'il n'est pas parti seul ?

— Je pense que ce serait une vérification utile. Adressez-moi cette liste par télex à l'hôtel *Oriental.*

— Entendu.

Je raccroche.

Bérurier bâille et me dit :

— Tu crois pas qu'on voyage pour des prunes, gars ?

— Je le crains fort, mon cher ami.

— Je suis tout courbaturé, Mec, si on irait se faire masser puisqu'on est en Thaïlande ?

Et c'est ainsi qu'on se rend chez miss Suzy Wrong, spécialiste, puisqu'elle a eu l'infinie délicatesse de me refiler sa carte à la faveur des événements décrits en début de chef-d'œuvre de lieu, ou d'œuvre de chair.

Elle crèche à cent pas de l'hôtel. Précieuse auxiliaire qu'un employé complaisant doit appeler en consultation pour les touristes mâles qui veulent tâter du massage thaïlandais, si réputé de par ce pauvre monde en délisquescence.

Moi, la croyant à dache, je veux prendre un sapin, mais quand je montre sa carte au chauffeur, il m'explique que c'est là, à gauche, tout de suite après le grand magasin qui vend des souvenirs, au-dessus d'une boutique de mode.

On s'y rend au pas des chasseurs alpins de la Quatorze, quand ils dévalaient l'Alpe homicide pour se ruer à Berlin, ces chéris, via Verdun, les pauvrets, et qu'à quoi ça a servi, tu peux me dire, à présent qu'ils sont à peu près tous morts sous leurs médailles et que le chancelier Schmidt est le grand ami du Président ?

Un escalier de bois qui pue une drôle d'odeur asiatique, indéfinissable et indélébile de surcroît, car elle se dégage des murs, de l'air, de tout.

Suzy Wrong crèche au premier, ce qui est à conseiller, la maison ne comportant qu'un étage. Sa porte est joliment décorée de motifs de là-bas. Ça fait restaurant chinois. On tire une chevillette et un gong retentit ; qui n'entend qu'un gong n'entend qu'une cloche, comme disait ma grand-mère.

La môme s'hâte de délourder, ravissantissima dans une espèce de kimono de soie arachnéen et orange (les deux réunis c'est très chouette). Me reconnaît et me gazouille des mots de bienvenue, façon perruche quand le soleil du morninge pénètre dans sa cage et qu'on vient changer son eau.

Justement, elle se trouve en compagnie d'une potesse, encore plus belle qu'elle. Son seul défaut, propre à la plupart des dames extrêmement orientales, c'est les cannes en cerceau. Léger, mais probant. Elles ressemblent presque toutes à des commodes Louis XV. Pour te faire un collier ou une ceinture, c'est very vouèle, mais esthétiquement, ça choque les gars comme voilà mézigue, habitués à des nanas bien galbées. Cela dit, pour ce qu'on vient lui demander, c'est pas la peine qu'elle se les fasse redresser par des forgerons compétents.

En apercevant la copine à Suzy, Bérurier pousse son barrissement des grandes occases ; lequel, en cette contrée éléphantesque, passe inaperçu.

— Je prends la celle qu'é là ! déclare-t-il péremptoirement.

La môme demande s'il souhaite commencer par un bain.

Je traduis, le Gros se met à rouscailler ferme :

— Dis à c'te miss canari que j'ai pas v'nu ici pour faire mes ablations ! Des bains, c'est pas dans ma nature. J'en ai pris un l'année dernière, quand t'est-ce je me suis filé la pipe à l'eau en voulant enfilocher une carpe que c'con d'Pinaud v'nait de ferrer, et merci, ça m'a suffi pour un bout d'temps. Si c'est tout c'qu'elle aura à proposer à son palmarès, c'est pas la peine qu'on soye venu des antipotes !

J'arrange la diatribe du bougon et parviens à conclure à son nom un *gentleman agreement,* en foi duquel il aura droit au fameux massage universellement réputé, avec possibilité d'extension sur un coït libératoire.

Le prix étant articulé, débattu, accepté et puis payé, Sa Majesté Queue-d'âne passe dans le laboratoire de ces dames donzelles.

— *And for you ?* s'inquiète Suzy Wrong.

For me, ce sera seulement du bavardage. Je le lui dis. Non que ma religion m'interdise des ébats avec cette aimable jeune fille, mais j'ai l'esprit tourné vers le boulot comme un muezzin vers La Mecque.

— Ce matin, nous avons été interrompus par l'arrivée de la police, j'aimerais qu'on parle un peu de Johannès Brandt, votre client de la nuit, si peu doué pour le parachutage.

Elle me sourit.

— Ici, c'est mon local professionnel, avertit la ravissante.

— Aussi vous réglerai-je le montant de la consultation, docteur, assuré-je de bonne grâce.

Du moment qu'il y a du papier vert à la clé, elle est partante, la chère chérie. Elle adore les photos d'Hamilton. Je veux parler de celle d'Alexander Hamilton, l'homme d'Etat américain qui figure sur les billets de dix dollars.

Après lui en avoir remis deux, plus une de M. Lincoln (des vraies gueules de grincheux, ces mecs !), je me jette à pieds joints dans le vif du sujet.

— Miss Wrong, roucoulé-je, connaissez-vous, de près ou de loin, un type vêtu en kaki, portant une casquette blanche à longue visière, le nez chaussé de lunettes noires, pourvu de larges épaules et d'un ventre confortable ?

Elle me visionne avec un peu de surprise dans les deux trous de bite qui lui servent de prunelles.

Comme si elle me découvrait. Ou plutôt, non, comme si je me mettais à parler thaï au détour de la converse.

Bon : elle sait de qui je parle.

Et moi, ça me fait plaisir. Pourtant, t'admettras que, présentement, j'arpente à côté de mes pompes, non ?

Je suis ici pour en apprendre sur la disparition de Victor Héatravaire, or je m'occupe d'un certain Brandt, sujet germanique, avec lequel je n'ai en commun qu'un peu de sa cervelle sur le bas de mon pantalon. Faut être moi pour se laisser dévier ainsi de la ligne tracée, hein ?

Elle ne sourit plus, Suzy. Elle hésite. Et il est rare qu'une personne hésitante sourie.

J'attends, dans l'honneur et la dignité. Le silence n'est troublé que par les gloussements et clameurs du Gros en plein panard dans la pièce voisine. Il a des élans du cœur, Alexandre-Benoît. Des suppliques extatiques :

« Dieu d'Dieu, refais-m'le ! Chié d'merde, c'que c'est bon ! J't'en supplille : rebelote, chérie ! Vouiiii ! Fais gaffe, l'fil électrique s'prend dans mes gesticules et ça m'coince ! Oh ! là là ! Againe ! Againe, pléhase ! »

M'est avis qu'on lui en donne pour ses dollars, à Bigzob ! Du tout beau travail qui fait honneur à ce vaillant pays.

Mlle Wrong amorce une moue très choucarde.

— D'après votre description, je serais amenée à croire qu'il s'agit de Chakri Spân.

— C'est-à-dire ?

— Chakri Spân est le plus grand marchand de cercueils de Bangkok.

— Drôle d'industrie.

Elle m'explique l'importance du cercueil dans la religion bouddhiste. Ici, tout le monde s'efforce de s'en offrir un magnifique. Quand t'es clamsé, on t'embaume et la famille te conserve un certain temps à la baraque. Plus tu es aux as, plus on te garde longtemps. Parfois, on diffère l'incinération de plusieurs mois. Pas de cimetière : des fours crématoires. Seuls, les Chinois (qui représentent un bon dixième de la population) se font enterrer, sinon : le bon vieux bûcher purificateur ! Or, donc, ce Chakri Spân vend les plus beaux cercueils de Bangkok. Il est célèbre dans toute la ville. On pense qu'il tripote dans un tas de trucs annexes. Qu'il négoce en tout genre, ce forban. Il s'occupe de la boxe, un peu de la prostitution... Une nature. Il hante les bars des grands hôtels. Jamais fringué autrement que d'une combinaison de broussard et d'une casquette blanche à longue visière à l'abri de laquelle il regarde venir ses contemporains. Même dans des soirées mondaines, il est affublé de sa combinaison aux mille poches. De ces dernières, il extrait de tout : des bahts à poignées qu'il distribue volontiers, des boîtes de médicaments dont il use et abuse, des armes quand c'est nécessaire. Il parle peu mais net. On le craint comme la peste bubonique. Il se déplace dans une Rolls aux vitres teintées, conduite par un chauffeur chinois maigre et malin. Il en jaillit comme un diable, sans jamais refermer sa portière derrière soi. Marche en trombe, toujours. Espèce de sanglier en éternelle charge. Il habite une vaste maison au bord d'un klong. Un klong, elle précise, c'est un canal. Y en a des chiées (au moins) à Bangkok, qui quadrillent la ville. Bien fangeux, riches en détritus et merdes colériques, tu penses ! La demeure de Chakri Spân est située au bord du klong Salo Salôp dans la vieille ville. On la dit rutilante, et pleine d'objets d'art, digne de concurrencer celle de Jim Thomson, ce milliardaire amerlock défunté de mort suspecte en 67, au cours d'un séjour en Malaisie.

Très intéressant, ce que me bonnit la mère Suzy. Tu ne trouves pas étrange, toi, que ce type équivoque se soit trouvé dans le couloir de la chambre à Brandt au moment où ce dernier valdinguait ? Eh bien moi, si, que veux-tu !

Je vais pour continuer ma petite interview quand le gong de la porte retentit.

Suzy s'excuse et passe dans la petite antichambre pour délourder. Je l'entends parlementer à voix basse. Curieux de nature, je risque un z'œil et bien m'en prend. La curiosité est un vilain défaut, mais souvent récompensé. Il convient de ne jamais craindre nos défauts, car, Seigneur, sans eux que ferions-nous ? Ils sont la suprême récompense de nos qualités.

Donc, je mate en loucedé, et qui vois-je, dans l'encadrement, bien honnête, bien smart ? L'Angliche qui nous a probablement sauvé la vie naguère en nous avertissant qu'il pleuvait de l'obèse.

La Suzy lui chuchote des trucs que ce gentleman écoute fort civilement, après quoi il a une inclinaison du buste et se retire.

La Jaunette revient.

Pas seule.

Car la porte du « laboratoire » vient écraser un éventail de soie contre le mur et la camarade d'atelier de miss Wrong se précipite, nue et plus souriante du tout dans la pièce où on fait la converse.

Elle cause vite et thaï, si bien que j'entrave que tchi.

Mais l'arrivée inopinée du Gros éclaire ma lanterne sourde. Triquant comme mille étalons, il rameute la garde, criant à l'arnaque. Ne voilà-t-il pas que, contre toute convention dûment agréée, sa partenaire refuse de se laisser miser sous prétexte que mon ami est archi trop fort pour sa propre constitution !

— Non, mais ça va pas, les miches ! qu'égosille le mammouth. Une pute qui renâcle, on les voira toutes c't'été ! Comme si j'y d'manderais la lune ! Juste son cul, faut pas chérer ! Et elle est marchande de cul, oui ou merde, cette jouvenceuse ? Si elle a le fume-cigare comme un porte-mine, faut qu'elle va changer d'turbin, merde ! Quand on n'a pas d'aptitude, on laisse aux autres ! L'vibro-masseur, c't'à la portée d'n'importe quelle jeune fille d'bonne famille, merde ! Des guiliguili électriques su'la grosse veine bleue, une gamine de huit ans saurait si on lu montrerait une fois pour lu'montrer. S'l'ment, moi, je becquete pas qu'des z'hors-d'œuv', merde ! Une séance sans embroque, salut madame, j'aime autant r'tourner à la Communale me pogner dans les tartisses du préau, merde ! Ça t'enfouille ton carbure au prélavable, d'accord comme quoi t'auras droit à l'enfourchement final par tout'la troupe. Et quand t'arrives av'c ta chopine, c'est « oh, non m'sieur, elle est trop grosse ! » Merde ! Quand on choisit c'boulot, c'est qu'on s'sent paré pou'les grandes manœuvres, non ? J'veux bien qu'les julots d'ici soyent montés comme des sapajous, mais faut songer au touriste, non ? Ou alors pas s'en mêler ! Merde ! T'affiches le calibre maximume admis su'la lourde avant qu'on entrera. T'écris en tout'lettres que çu qui l'a plus forte qu'un cigarillo peut s'l'évacuer ailleurs, merde ! Sana, toi qu'as un anglais légèrement plus éloquent qu'l'mien, tu vas m'dire à c'te mijaurée qu'elle dégote un pot d'vaseline si ça lu chante, é qu'é s'laisse fourrer princesse, bordel ! Qu'aut'ment sinon, je me file en pétard pour d'bon. J'vais lu donner des cours du soir d'enfilage sérieux, moi, espère. La démarrer à la banane verte, la continuer à la courgette pour la terminer à moi, moi ! C'qu'est payé est dû, pointe à la ligne ! Allez, esplique z'y ! Merde !

Miss Wrong, à laquelle je fais part des réclamations béruréennes, hoche la tête.

— Votre ami est un surmonté, elle plaide. Je n'ai jamais rencontré d'appareil de cette taille. D'ailleurs, je serais curieuse de l'essayer, pour ma documentation personnelle ; accepterait-il que nous permutions, Dolly et moi ?

Je transmets sa proposition à Béru qui, instantanément calmé, sourit de bien aise.

— V'là une p'tite très méritante, déclare Sa Majesté. Qui r'chigne pas à l'épreuve. Explique-lui qu'j'serai délicat, Gars. J'ferai queue d'velours, av'c elle ; promis. J'entrerai su'la pointe des pieds, pas alarmer l'chat qui dort !

Il prend Suzy par la main.

— Allons, viens, ma beauté, tu l'as bien mérité.

— Minute, interviens-je. Chère miss Suzy, qui était le monsieur qui a sonné tout à l'heure ?

Elle hoche la tête :

— Un client de l'*Oriental* qui m'était adressé par un employé.

— Vous le connaissiez ?

— Non, il venait pour la première fois. Je lui ai demandé de repasser plus tard.

J'acquiesce. Elle *exit* avec le surchibré.

Sa potesse tente de me justifier sa défaillance, mais j'en ai rien à fiche, moi, de son étroitesse de vulve.

Alors je me barre, parce que je me sens gagné par une

incommensurable nervouze. Une vraie pile atomique, parole !

Besoin de m'accomplir, comme on dit dans les articles sérieux des hebdomadaires.

Pour être franc avec toi : je sens des choses.

Et j'en pressens davantage encore !

Et alors, tandis que des éclaboussures d'eau me jaillissent, je me dis in petto, en catimini et autres, le gnagna suivant : « Mon Sana, tu files du *very bad* coton, ne t'en déplaise. Car enfin, enfin, enfin, te voici à Bangkok pour t'occuper de la disparition d'un gars de chez nous et au lieu de, tu ne penses qu'à la débalconnisation d'un vieux teuton de merde ! Ça manque de réalisme, mon cher. Même si on a trucidé ce Germain, t'en as strictement rien à branlocher, n'étant pas qualifié pour t'occuper des assassinats qui ne concernent pas la maison-mère. Et le fait que tu aies failli prendre le chuteur sur le coin de la gogne ne change rien au problème. »

Bon, très bien, je me récite ce petit compliment manière d'apaiser ma conscience ; mais il ne me retient pas de penser à cette affaire. Et, pour ne rien te celer, comme disait un marchand de cire à cacheter, je me suis installé dans la chaise longue qu'occupait l'obligeant Anglais ce matin. Et je contemple la vertigineuse façade de l'hôtel. Le soleil emplit chaque vitre de miroitements pourpres. Par-delà la rumeur joyeuse de la piscaille, me parvient celle du fleuve coulant au pied de la terrasse. Il a un nom bizarre, comme tout ici, pour nos oreilles occidentales. Il se nomme le *Menam Chao Phaya.* Ainsi soit-il. Et c'est fou la navigation sur cette large voie d'eau verdâtre ! Les embarcations pullulent. En général, elles sont étroites et très longues, pulsées par des moteurs dont l'arbre d'hélice mesure au moins trois mètres. Et je me demanderais bien pourquoi ils sont si tant tellement longs, ces arbres d'hélice, seulement, franchement, tu vois : je m'en fous comme de ta première culotte au jeu.

Alors, je ne me le demande pas, et c'est rudement mieux ainsi, car à vouloir connaître le pourquoi des choses, on en arrive vite à vouloir aussi en savoir le comment et dès lors tout se complique dans des proportions néfastes.

Depuis la chaise longue de l'Anglais salvateur, je considère le balcon du onzième où, tu vas te marrer, se trouve encore la ceinture du peignoir, telle une marque blanche chargée de signaler le point du drame.

Si ce gentleman a eu le temps de nous avertir du danger, c'est qu'il regardait dans cette direction. S'il regardait, il a fatalement vu basculer le Chleu. Et pourquoi, étant assis au bord de la piscine lui tournait-il le dos, cet Anglais, à la piscaille, alors qu'il y avait tout plein de belles nanuches à contempler ? Et comment se fait-il qu'il aille visiter Suzy Wrong peu après l'accident ? Suzy Wrong qui se trouvait précisément dans l'appartement de la victime. Hasard ? Fume ! Les hasards, ce sont les pointillés qui remplacent les lettres dans les concours de mots sautés. Des solutions provisoires, en somme.

Si j'étais chargé de cette enquête, ce qu'à Dieu ne plaise, je m'occuperais sérieusement du Rosbif obligeant, parole ! Et également du dénommé Chakhri Spân, roi du cercueil thaïlandais toute catégorie. Et je ne perdrais pas de vue non plus la môme Suzy...

Mais voilà, je suis ici pour autre chose.

Le haut-parleur de la pistoche annonce :

— Sir Antonio est demandé à la réception.

Marrant, mais je pressentais cet appel. Une pile, je te répète ! J'aurais éclusé une bonbonne de café fort, je n'éprouverais pas un plus grand frémissement à fleur de peau ; ni ne me sentirais davantage sur le qui-vive. C'en devient oppressant.

Je me lève pour souscrire à l'appel.

La fraîcheur du vaste hall me revigore. J'avise le chef-inspecteur Wat Chié, planté devant le guichet de la réception au-delà duquel s'affairent de ravissantes filles vêtues de sombre.

Il vient à moi, la bouille fendue d'un sourire de père-la-colique. Il a une frite pour réclame de laxatifs, l'ami. Je lui dis quelques mots en anglais, mais il ne cause que sa foutue langue à la gomme.

Me tend un feuillet comportant deux colonnes de noms dactylographiés. C'est la liste des passagers du vol « Hong Kong-Bangkok ». J'y glisse un regard caramélisé avant que de la plier en deux et de la glisser dans ma poche-revolver, comme on disait jadis, à l'époque où l'on ne se servait jamais de revolver ; qu'à présent les temps ont bien changé et que tout un chacun défouraille de-ci et de-là, dépose sa petite bombe sur le paillasson ou dans la bagnole du voisin, et revendique les plus sombres attentats comme s'il s'agissait de hauts faits. Dedieu, ce qu'ils sont devenus ! Tu vois de la viande qui a tellement de peine à exister, et qu'on hache, qu'on transperce, qu'on dépèce frénétiquement. N'importe quelle raison. T'es pas d'accord ? Tiens, meurs ! Et ça a servi à quoi d'inventer la pénicilline, dès lors ? Le bistouri coagulant ? Et que Mme Curie soit morte de radiations ? A quoi ? Pour se faire ayatoller ? Merde ! Tu sais que je les conchie de plus en plus foireusement, tous ? Que j'en deviens herbivore, à force d'à force ? L'eau, l'herbe et la solitude, mes ultimes soutiens. Bien m'assainir avant de crever. Mourir nettoyé, quoi. C'est plus décent.

— *Have a drink ?* je demande à mon confrère.

Heureusement que j'ai ponctué du geste : le pouce en clairon devant la bouche, tout le monde pige, du Groënland à la Terre de Feu.

Flatté, il acquiesce. Alors je l'entraîne au bar. Il boit un cocktail de jus de fruits, moi une tisane de grain d'orge sur un gros glaçon.

On ne peut pas se causer, on ne parle aucune langue en commun. Ça aussi, va falloir y mettre fin, à ce cloisonnement par les langages. Coûte que coûte. Ensuite ça ira peut-être un tantinet soit mieux.

C'est l'heure creuse. A part un gros vieux Ricain à cheveux blancs qui s'évente malgré l'air conditionné avec son chapeau de paille, devant un verre vide, il n'y a que le barman. Wat Chié lui fait signe et baragouine. Le loufiat se tourne vers moi :

— Il dit que, selon lui, l'homme que vous recherchez avait rendez-vous à l'aéroport.

Tiens, il s'intéresse encore à notre problème, l'inspecteur-chef ? J'avais pourtant le sentiment que ça lui passait au-dessus de la coiffe.

J'opine.

— Il a une idée quant à l'identité de la personne en question ?

Pour encourager le serveur, je lui vote une photo en couleur de son roi, en costume d'apparat, sur un billet de cent bahts.

Il la griffe sans sourciller : plouf : *in the pocket.*

Faudrait écrire l'histoire d'une banknote, d'une main et d'une poche. Leur union sacrée, leur accomplissement parfait. La main en langue de caméléon, le bifton si bien vite froissable, la poche hébergeante. Un documentaire, je pourrais tourner, tellement j'ai semé de pourliches au long de ma route. Je sais tout sur la façon discrète de le tendre et celle, plus discrète encore, de s'en saisir. La promptitude stupéfiante de ce court voyage d'une fouille à l'autre. Le billet serait une plaque sensible, y aurait rien d'impressionné dessus, à ce degré de fulgurance.

Le barman traduit.

Wat Chié répond.

— Il dit que non, mais que tout devait être convenu à l'avance.

Je tire la liste des passagers de ma vague. L'explore. Beaucoup de noms asiatiques, et aussi des noms anglo-saxons. De français, seul celui du vieux Victor. Excepté le sien, je suis certain de n'avoir jamais lu ceux de ses compagnons de voyage.

Je réprime un bâillement nerveux. Je m'emmerde. Qu'est-ce que je peux faire pour essayer de retrouver le père Héatravaire ? Publier sa photo dans les baveux d'ici ? Tiens, au fait, pourquoi pas ?

J'informe, via le serveur, mon homologue thaïlandais de ce désir. Il hoche la tête, l'air de dire lui aussi « pourquoi pas ? mais ne vous faites pas trop d'illusions ».

Est-ce qu'il veut bien m'accompagner jusqu'à la rédaction de *Bangkok-Soir ?*

Tout ce qu'il y a de volontiers.

Il est de bonne composition, mon pote. Quel dommage qu'on soit obligé de chiquer les sourds-muets !

⁂

Il a sa bagnole, sur les portières de laquelle est écrit le pot police. Mot magique bien souvent.

En pas moins de rien, nous sommes dans les bureaux du journal. J'ai l'impression d'entrer dans une immense volière pleine de canaris.

Et bon, on rédige un texte, je confie la photo de Victor Héatravaire, en demandant qu'on ajoute « Bonne récompense à qui fournira des renseignements sur cet homme ». Mon collègue, par l'intermédiaire d'une secrétaire multiglotte, me fait savoir qu'il désapprouve ce rajout, alléguant que, consécutivement, j'aurai droit à des tas de témoignages bidons de la part des petits coquins attirés par l'appât du gain. A quoi je lui fais rétorquer que je préfère une surabondance douteuse à un silence complet.

La secrétaire en question, faut que je te fasse accomplir un détour par elle. Une beauté ! Chinoise pur fruit. Grande, mince, visage ravissant, teint légèrement rosé (un brugnon, comme disent les grands littérateurs qui ont des voix au Prix Goncourt et un compte débiteur chez leur éditeur). Son air intelligent, ses lèvres délicatement sensuelles me créent du désordre au-dessus de la ligne de flottaison. Elle me considère avec intérêt, moi je la dévore goulûment. Elle porte un tailleur noir et un chemisier rouge. Elle est coiffée assez court. Contrairement à la plupart des Asiates, elle trimbale un joli brin de poitrine et son fessier ne désobligerait pas un short très décolleté. Je lui dis comme ça que je suis perdu dans cette immense cité de cinq millions d'âmes. Ames bouddhistes, je n'en disconviens pas, mais montées sur deux jambes, et que dix millions de jambes autour de moi, qui savent où elles vont, alors que moi je l'ignore, c'est éprouvant pour un pauvre petit Français de France qui n'a qu'un tube de comprimés d'aspirine pour se défendre. Cela lui dirait-il de me servir de cicérone ? Je suis descendu à l'hôtel *Oriental* et n'ose en bouger, ignorant les mœurs, usages, coutumes ; redoutant la circulation, craignant la chaleur, le typhus et les morpions.

Elle a un sourire mignon, oh ! là là, je te jure que c'est vrai. Tu verrais combien elle porte aux sens, je crois que t'enfilerais ta bonne femme à sa santé, bien que tu l'eusses déjà calcée le mois dernier, en rentrant du ciné cochon.

Est-ce qu'après son travail, elle consentirait à venir me rejoindre ? Peut-être même accepterait-elle de dîner au restaurant français, tout là-haut, au dernier étage de l'hôtel ?

La Chinoise continue de sourire.

— Ce serait volontiers, dit-elle, mais je dois vous avertir quc je ne suis pas une spécialiste du plaisir et que je ne couche pas.

Galant, je sais dissimuler mon désappointement (c'est le mot). Je me dépointe donc et récrie bien haut.

Que va-t-elle penser là ! Mes intentions sont pures ! Ai-je donc la tête d'un suborneur ? Répondez franchement ? Ainsi, je viendrais à *Bangkok-Soir* chercher de la fesse alors qu'il y en a plein la ville et qu'il faut parfois faire une grande enjambée pour ne pas marcher dessus ? Allons, allons, voyons !

Elle est rassurée par mes protestations.

Et bon, d'accord, elle me rejoindra en fin d'après-midi. Elle me demande la permission d'apporter son maillot pour profiter de la piscaille après le dîner.

Je la lui accorde sous seins privés.

J'en suis donc là de l'histoire.

Nulle trace d'Héatravaire, mais je fais diffuser sa bouille à tout hasard.

Par ailleurs, j'ai failli être écrasé par un gros chleuh tombé du onzième.

Ceci relate ma première journée à Bangkok.

Laquelle est loin d'être terminée, tu vas voir.

On ne peut pas se figurer ce qui m'arrive dans un polar !

Tu sais que si je me relisais, je ne voudrais pas me croire ?

De retour au bienfaisant *Oriental,* je découvre deux choses en attente : Bérurier, et un télex du vieux contenant la liste des passagers Paris-Tokyo.

L'un est rond, l'autre long.

Triste figure, le copain Alexandre-Benoît. Ronchon, taciturne, l'air de regretter Paris, sa Berthe, son bougnat favori, le beaujolais, les andouillettes de chez Prin.

— T'as des misères ? le questionné-je, bourré à craquer d'inquiétude.

— Parle-moi z'en pas, dit-il : j'ai t'eu un accident de parcours.

— T'as pas pu embroquer miss Jaunisse ?

— Au contraire.

— Comment, au contraire ?

Il est terriblement penaud, masteur Tristemine.

— J'ai beau chercher, j'pige mal c'faux mouvement. D'alieurs, c'est pas t't'à fait d'ma faute. C't'à cause du tube d'vas'line dont sur lequel j'ai glissé. Juste au moment d'l'enfourchement, ta donzelle. Elle voulait à la Duc Dos-au-mâle, la sœur. J'l'avais posturée conv'nab'ement, la moniche bien d'équerre, assurée su'ses coudes. Les travaux préluminaires s'étaient pas mal passés. On savait qu'ça seraye pas du cousu-main, fatal. Qu'y faudrait un p'tit forcinge discret au moment d'la bénédiction nuptiale : l'coup d'reins autoritaire, quoi. Çui qui barguigne pas. Allez, oust ! Entrez, v's'êtes chez vous ! Elle consentait. Une vraie valiante, c'te souris, j'admets. L'genre d'guernouille qui s'croye plus grosse qu'à Elbeuf.

« Moi, bon, tu m'connais la conscience professionnelle ? Je l'ajuste à la langoureuse, lui commence un rond de bide pour qu'elle octroye mieux du frifri. J'm'étais pavané l'glandoche à la vaseline, tout bien, reluisant comme un vrai p'tit prince d'Emile et une nuit ; tout vibreur, tout piaffant : Saumur ! J'comptais lu procéder par p'tits tagadas marteleurs, comm' av'c le maillet d'un commissaire qui prise ; bien préparer l'circuit pour l'déboulé final. J'la grimpais en danseuse, les pognes z'en haut du guidon, aérien, zélé comme un amour. Et pis v'là-t-il pas qu'en actionnant, j'fous mon panard su' l'tube de vaseline qui jonchait. Dedieu, j'dérape comme c'serait été sur une peau d'banane, et rran ! J'pars à dame, c'est le mot ! Juste que le signor Popoff s'trouvait à l'entrée des artistes, brandi communal barde. Pas moilien d'dévier. Et heureus'ment dans un sens, que sinon j'eusse risqué de me l'péter net contre l'coin de table. L'v'là donc qui télescope miss Réglisse sans escale, tout d'une traite ! Plaouff ! Enplâtre cette mignonne jusqu'aux sourcils, directo ! L'hurlement qu'elle a poussé, j'le garde encore dans mes étiquettes ! Comme une qu'agonirait. Ce travail, Dieu d'Dieu ! Ce travail ! Ah ! espère, ell' est pas prête de r'tourner au rondibé, mam'zelle Miss ! Sa cramouille a esplosé, littérairement ! Un claqu'ment pareil à une courroie de transmission qui saute. Dès lors elle a tourné d'l'œil, la pauvrette. Y a fallu appeler sa potesse. On l'a ravigotée au scotch, ensute coltinée jusqu'à son bidet de famille, manière qu'elle dédolore, mais mon cul ! Les ravages étaient faits. Sinistrée à cent pour cent, la chérie ! On pouvait déclencher le plan Culsec sans coup fou-rire. Ç'a été l'toubib : un vieux Chinois tout jaune, à lunettes. Et après quoi l'ambulance pour la driver à l'hosto, qu'y z'y recousent l'échancrure, lu posent des points de soudure, tout ça. Y a à faire, croye-moi ! C'est pas d'main qu'elle retrouvera son berlingot d'jeune fille, ta madone ! Merde ! Note qu'un fois ces p'tites tracasseries passées, elle pourra vraiment s'aventurer dans l'pain de fesse. Pacequ'enfin j'en r'viens toujours, mais si tu veux faire pute, faut t'au moins avoir l'orifesse apte, non ? Cantonner dans le zobuscule chinois ça mène où, tu peux m'dire ? Désormaux, ell's'ra gratifiée en conséquence, la p'tite démone ! Ell' pourra signaler su' ses brêmes que c'est du tout terrain, sans limite d'tailles ; ell' épongera l'curé d'campagne comme l'cosaque du legs. Là qu'est passé Béru, l'bulldozer peut passer aussi !

Il se rassérène en narrant, le Gravos. Raconté, l'aspect plaisant de la mésaventure se dégage. Il en est conscient et finit par sourire.

— Ce sidi, conclut mon pote, j'sus toujours pas dégorgé des amygdales, moi. Va falloir trouver du cheptel de remplacement. On d'vrait s'inquiéter si y aurait pas une pute françouze dans l'secteur. Dans l'fond, y a que ça d'sûr. Une prostipute de chez nous, t'es tranquille qu'elle a pas l'minou comm' une boutonnière ! Elle peut aller aux asperges sans pied à coulisse pour des vérifications prélavables. Faut s'renseigner. Les putes françaises, c'est comme les restaurants italoches : y en a dans l'mont dentier.

— Tu t'arrangeras pour en dégauchir une ce soir, coupé-je, moi j'suis de sortie.

— Une gerce ?

— Ravissante.

— Masseuse ?

— Non ; il s'agit de l'unique jeune fille sérieuse de Bangkok. Du moins le prétend-elle.

Sa Majesté qui a une confiance aveugle en son supérieur ricane :

— Elle pourra plus causer comme ça quand c'est qu'elle t'aura quitté.

Je déplie le télex du Vieux.

Rien de plus fastidieux qu'une liste de blases orientaux. J'ai l'impression de lire l'autre, sauf que sur la ligne Paris-Tokyo il y a davantage de Français que sur celle Hong Kong-Bangkok.

— Tiens, dis-je au défonceur de pot chinois, tu vas m'aider.

— A quoi-ce ?

— Je vais lire des noms. Tu les chercheras au fur et à mesure sur la liste que voici. Si tu trouves l'un d'eux, préviens-moi !

Nous nous installons commodément dans deux fauteuils mitoyens et la nomenclature commence. J'efforce d'articuler au mieux ; pour les noms barbares, Béru me fait répéter et les récite lui-même en déchiffrant sa liste.

Les Wang Tu Hô, les Krash Chibrak, les Sumuzaki et autres Vajhiralongkorn ne manquent pas. Sa Majesté les cherche sur son faf avec une louable attention. Ne les ayant pas dénichés, il conclut chaque fois par un laconique : zobi ! qui est une fin de non-recevoir.

On se paie toute ma liste, et il en reste encore sur la sienne, car il y avait davantage de passagers de Hong Kong à Bangkok que de Paris à Tokyo.

— Raté, soupiré-je, déconfit.

Le Mastar renifle. Il déplore. Aurait aimé me complaire. Mais, hein ? A l'impôt-cible, nul détenu.

Soudain, comme il relit son feuillet, il me demande :

— Tu y prononces comment t'est-ce, ce blaze ?

— Goodyeard, dis-je.

— Espèce d'archicon ! exulte Elephant man, si tu triches su' la prononciation, comment voudras-tu qu'on s'y r'trouve ! Y a écrit Godeyéharde, et ta pomme tu dis Goudyeur !

Fébrilement, je compare les deux listes. Je conserve un doigt pointé sur la Mrs. E. Goodyeard de son papier et je dévale les colonnes du mien.

Merci, petit Jésus ! Mrs. E. Goodyeard s'y trouve également. Mrs. E. Goodyeard de Bangkok.

Le petit Philippin qui examine l'annulaire des téléphones ne comprendra jamais pourquoi je le lui arrache des mains en grommelant « excuse-me » pour la forme. Je l'emporte promptement comme un joueur de rugby emporte le ballon ovale dont il vient de se saisir à la faveur d'un rebond (du trésor).

Les « G » !

Vite, vite !

Chère Mrs. E. Goodyeard !

La voici, la voilà, pimpante, en caractères gras, siôplait. Non qu'elle soit charcutière, mais elle gère un magasin d'antiquités dont l'enseigne est écrite en thaïlandais gothique.

Le comique naît toujours de la répétition.

En effet, je me jette dans un taxi Mercedes, stationné devant l'*Oriental,* comme naguère lorsque nous voulions nous rendre chez la malheureuse Suzy. C'est la même voiture et le même chauffeur. Je lui montre l'adresse de

Mrs. Goodyeard. Il hoche négativement la tête et déclare en soupirant :

— Deuxième rue à droite, sir.

S'il n'a que des clients comme bibi, j'ai idée que les traites de son bahut resteront longtemps impayées.

Mrs. E. Goodyeard, tout comme la maréchale d'Ancre, n'a vraiment de féminin que le sexe. Cette concession faite à son genre, elle se présente sous l'aspect d'un solide grenadier d'un mètre quatre-vingt-dix, au visage de baroudeur, avec des tifs gris, très rudes et coupés bref. Elle porte une chemise d'homme à carreaux, un pantalon de velours serré à l'absence de taille par une ceinture de cuir large comme une courroie de batteuse, et elle fume une pipe de loup de mer tout en procédant à de la comptabilité au fond de son magasin.

Celui-ci contient des merveilles. Il ne s'agit pas d'un antre de brocanteur bourré de pouilleries asiatiques, mais d'une sorte de petit musée ne proposant que des pièces rares dûment mises en valeur sur des socles de marbre noir, et éclairés par des spots savants.

Des bouddhas anciens, des sculptures populaires datant de plusieurs siècles, des objets insolites finement ciselés ou peints captent dès l'entrée votre attention.

J'opère un petit circuit dans les deux salles communicantes, intéressé par cet art nouveau pour moi qui n'aime que les vieilles choses de la vieille Europe. Les reliques des autres continents, n'importe leur beauté, conservent à mes yeux des relents de bazar. Il n'empêche que certains des objets présentés par Mrs. E. Goodyeard ont de l'allure, entre autres un banc ayant la forme d'une chevrette couchée, aux lignes pures et dont le bois a une brillance unique. Donne-moi dix bahts pour le commentaire et si tu veux en savoir davantage achète la brochure.

Ce petit tour d'horizon accompli, je m'approche du bureau chromé de l'antiquaire. Elle trace des colonnes de chiffres, en tétant sa bouffarde. Ne daigne point lever les yeux sur moi, bien qu'elle sente ma présence immobile devant elle et que sa rétine dusse capter une bonne partie de mon pantalon (le cher valeureux réceptacle).

Au bout de son addition, elle demande, sans lever les yeux, à travers le nuage de son Early Morning (car elle en fume bien que nous soyons en fin d'après-midi) :

— Quelque chose vous intéresse ?

— Oui, madame, réponds-je.

— Quoi donc ?

— Vos voyages.

Pour lors, la digne personne consent à me présenter son visage et ça n'est pas ce qu'il y a de moins intéressant dans son magasin. Rude trogne, avec des poches sous les vasistas, gonflées comme celles des combinaisons de mécanos ; un regard presque blanc tant il est bleu ; un soupçon de barbe au menton ; une réalité de moustache sous le pif ; dix dents métalliques sur le devant de son piège à steak et, enveloppant le tout, un de ces airs vachards qui flanquerait la diarrhée verte à un ours blanc.

Elle me prend en charge de son regard pénétrant, me jauge, contrôle, teste, soupèse, mesure, catalogue et articule, comme si elle proférait une insanité :

— Vous êtes français ?

— Cela se voit ?

— Surtout, cela s'entend. Que racontez-vous, à propos de mes voyages ?

— Moi ? Rien. Mais vous, vous aurez peut-être des choses à m'apprendre. Navré de vous importuner, mistress Goodyeard, si je vous dérange, je peux repasser à un autre moment ?

Elle continue de me défrimer en pompant sa pipe de navigateur solitaire et glacé. Les uniques pipes de sa vie auront été celles-ci. Ou alors des pipes bavaroises, en porcelaine, que le motif représente souvent un uhlan en train de faire du gringue à une gretchen.

— Ne parlez pas par énigmes, monsieur le Français, me dit-elle d'une voix qui commence à avoir les couilles fêlées sur les bords ; je dis toujours aux autres ce que j'ai à leur dire et j'aime qu'ils agissent de même avec moi.

— Voilà un bon langage, mistress Goodyeard, approuvé-je.

Je lui sors ma carte de roussin.

— Je ne sais si vous lisez le français, mais le mot police est international, n'est-ce pas ?

Elle regarde cette honorable pièce d'identité et acquiesce (mutuelle).

— Très bien, allez-y !

J'y vais. La vérité est toujours simple à dire et on ne perd pas de temps à la dire. Bon, alors la disparition de Victor Héatravaire. Moi, discrètement chargé de l'enquête qui, ici n'a rien donné. Mon idée de vérifier les listes des passagers et ce qui en a résulté, c'est-à-dire elle.

Elle m'écoute en curant sa pipe vide, puis en la tapotant dans un cendrier. Quel âge a-t-elle, cette créature hybride (abattue) ?

Soixante-cinq pions ? Moins ? On la devine puissante, capable de manier la cognée sans jeter le manche après.

Lorsque j'ai achevé, elle se marre. Avec ses chailles d'acier, tu croirais le géant de James Bond, celui qui coupe les câbles de téléphérique avec ses ratiches.

— Grand Dieu, mon cher inspecteur, vous perdez votre temps avec moi. Il se peut que j'aie voyagé à deux reprises avec votre homme, mais je ne l'ai pas remarqué. Vous me dites qu'il était en *first,* moi je me contente des *tourist.* D'autre part, entre le vol Paris-Tokyo et le vol Hong Kong-Bangkok, je suis revenue ici. D'ailleurs, je n'ai pas été jusqu'à Tokyo, la chose est aisément vérifiable. Je suis descendue à Bangkok pendant que lui continuait son voyage. La semaine suivante, j'ai dû faire un aller-retour à Hong Kong pour mes affaires, et au retour, je serais donc rentrée par le même vol que lui, mais par pur hasard. Le hasard, inspecteur, n'est pas toujours le Dieu des policiers, comme on l'affirmait dans mon jeune âge, je vois qu'il leur joue également des tours.

Ses prunelles blanches contiennent de l'ironie, ça, tu peux me faire confiance. Presque de la moquerie délibérée. Et moi, que veux-tu que je riposte à ses déclarations ? Il est d'ailleurs probable qu'elle dit vrai, cette dame. En tout cas, j'suis bien obligé de faire comme si.

Je la prie de m'excuser encore et la laisse à ses merveilles du passé.

Ça patine, mon gars.

Oh ! làlà làlà ce que ça patine ! Je fais du home-trainer, quoi ! Je pédale sans avancer, kif le gentil écureuil dans sa cage à enseigne de la Caisse d'Epargne et de Prévoyance.

Heureusement que ma ravissante secrétaire chinoise m'attend déjà sur les canapés de l'*Oriental*. Un orchestre de chanvre indien joue du discret au fond du hall, près de la porte permettant de communiquer avec l'ancien bâtiment de style colonial où habita Somerset Maugham. On perçoit à peine la musique dans la rumeur ouatée de l'hôtel.

Ma nana est là, et je lui sais un plein pot de gré, comme dit Bérurier, de ne s'être point changée. Rien de plus décourageant, lorsque tu as un coup de béguin pour quelqu'un, que de le voir se pointer au rancard, saboulé dimanche, donc, ne ressemblant plus très bien à ce qui t'a séduit chez lui. Je sais des moniteurs de ski qui ont fait démouiller des dames, le soir à la chandelle, parce qu'ils se présentaient en civil. Moi, cette greluse, elle m'a botté aussi à cause de son tailleur noir et de son chemisier rouge (et pommier blanc). Et elle a conservé cet accoutrement, la sublime créature. D'instinct, ou alors qu'elle aura pas eu le temps de se changer? N'importe : l'essentiel est qu'elle soit comme je la rêve.

Je prends place à son côté sur le canapé. Les touristes vont et viennent autour de nous, ça jacte dans une chiée de dialectes. La zizique module doucereusement. Moment de détente bienfaisant : le havre du val de grâce de Monaco, enfin! Le guerrier surmené se relaxe. Laisse-toi aller à la félicité de l'instant, mon Tantonio joli. Tu es un vaillant, un pur. Tu ne veux rien pour toi dans le fond, que le bonheur de ta vieille maman et aussi de pouvoir tremper ton biscuit quotidiennement (au moins). Nulle cupidité t'habite (grosse commak). La vie, tu la sais, et par conséquent la dédaignes dans ses superflances. N'en conserves que l'essence. La flamme vive bien dansante. Le feu monte, que dit La Bruyère, tandis que la pierre tombe (et même tombale). Mange ton pain, dors, aime, baise et travaille. Et regarde le ciel au fond des nues ! La liberté est dans ta tête.

Elle a un merveilleux sourire énigmatique, cette belle Chinoise. Enigmatique, c'est nous qu'on croit, mais il leur est naturel, les Jaunes.

— Me suis-je seulement présenté ? fais-je.

Et je lui offre mon nom enrobé d'un souffle plein de désir, comme disent les vrais écrivains qui ne chient pas la honte.

Elle murmure, en réponse, sa raison sociale :

— Tieng Prang Mônpo.

Ce qui est un nom de bon conseil, moi je trouve, non ?

Comme il n'est pas l'heure de se rendre au restaurant, je lui dis qu'il me serait agréable de faire une balade en barlu sur les klongs.

Elle accepte. Merci.

On se rend à l'embarcadère à deux pas de l'*Oriental*. Nous frétons l'une des longues barques en forme de cosse de haricot, munies d'un moteur à l'arbre d'hélice interminable, tu te souviens, je t'en ai causé.

Un Thaïlandais en short effrangé le pilote.

— Connaissez-vous la maison de Chakri Spân ? demandé-je à ma compagne.

Son sourire cesse d'être énigmatique pour devenir soucieux, et rien n'est plus déconcertant qu'un sourire soucieux : nous autres, stupides Occidentaux, serions incapables d'en faire un convenable, étant animés de sentiments trop tranchés qui ne s'interfèrent pas. Je te demanderais de m'essayer un sourire soucieux, ça te paraîtrait plus difficile que de faire de la corde à sauter dans une cabine téléphonique ; et pourtant, ma tendre amie Tieng réussit spontanément l'exploit.

— Pourquoi cette question ? me demande-t-elle.

Je biaise en levrette :

— Vous connaissez cet homme ?

— Pas personnellement, mais c'est un personnage du Tout-Bangkok.

— J'aimerais lui rendre visite.

Là, son flegme asiatique a une soupape qui donne mal.

— Vous ? A lui ?

— La chose vous paraît impossible ?

— Surprenante.

— Et pourquoi ?

Ma tranquillité la ramène à son impavide naturel.

— Parce que c'est quelqu'un qui me semble très éloigné de vos occupations...

— Eh bien, j'aimerais qu'il me dise cela lui-même, conclus-je. Vous voulez bien demander à notre navigateur de nous piloter jusqu'à sa propriété : je suppose qu'il la connaît ?

La ravissante Tieng reprend son sourire.

— Il est peu probable que mister Chakri Spân vous reçoive sans que vous ayez pris rendez-vous.

— Nous verrons bien.

Elle donne des instructions au batelier (de l'avocat), Cézigue, no problo : il décarre à la requête.

Etonnante, cette vie aquatique qu'on découvre depuis le fleuve. Ses rives sont bordées de masures plus ou moins lacustres, en une espèce de bidonville amphibie, interminable. Ces miséreuses habitations sont ravaudées, noires, fumantes, elles ploient sous des amoncellements de caisses, de filets, de cages grillagées où végètent des poulets étiques. Des vieillardes fument la pipe (tout comme Mrs. Goodyeard) sur le pas des ouvertures (il n'est pas question de portes). Des gamins nus s'ébattent en criant dans l'eau fangeuse du Menam Chao Phaya. Vachement immunisés, les petits gars ! La fièvre jaune, la typhoïde, la malaria, la peste bubonique ? Tiens, *smoke!* Ils se marrent, les gosses de Bangkok. Et l'eau d'un vilain marron cacateux part en jaillissements argentés ! La merde se change en écume de nacre. Purifiée, dirait-on, par le fourmillement de ces corps d'enfants heureux de leur misère. Enfants de soleil qui offrent le soleil aux choses.

Nous sommes assis côte à côte dans la barque. Juste de la place pour deux, tant l'embarcation est étroite... Et la hanche de miss Tieng contre la mienne me crée un sentiment de bien-être. Je me risque à lui prendre la dextre. Sa main est froide. Elle la retire, doucement, sans brusquerie désobligeante.

Ah ! oui, c'est vrai : elle m'avait prévenu qu'elle est issue d'une chambre froide et d'un congélateur.

*
**

— C'est là-bas, dans la courbe du klong, m'avertit ma voisine de gondole.

Une odeur pestilentielle monte de l'eau bourbeuse. Les masures de tôle rouillée et de bois pourri s'interrompent pour laisser s'épanouir une vaste pelouse bien soignée, plantées de saules (meunières). Un ponton de ciment compose une sorte de minuscule port où somnolent différentes embarcations de luxe. Sur la terre ferme, un hangar à bateaux dispense une ombre dans laquelle deux hommes paraissent somnoler : les matafs du sieur Chakri Spân, je gage. Ils portent des shorts blancs et des casaques bleues avec un écusson rouge sur la poitrine.

Voyant notre intention d'accoster à leur ponton, les

deux gars se précipitent en vociférant et en nous adressant de grands gestes refouleurs.

— Dites-leur que je viens rendre visite à leur patron, demandé-je à miss Tieng.

Elle traduit. Et en thaïlandais, s'il te plaît ! Faut pouvoir.

Moi, debout dans la cosse de haricot, je leur tirlipote un salut romain qui ferait mouiller tout le parti néofaciste italoche.

Ça les indécise un peu.

Mais le plus teigneux s'avance sur le ponton en continuant de jacasser comme toute la forêt équatoriale.

— Je ne pense pas qu'ils nous laisseront aborder, prévient ma petite camarade de barque.

— Demandez-leur d'informer Mr. Chakri Spân de ma venue. Qu'ils lui disent que je viens à propos de Johannès Brandt de l'*Oriental* et que cela urge.

Docile, ma potesse optempère.

Alors les deux mecs se concertent.

Miss Tieng guette (je l'ai fait exprès) en tendant l'oreille.

— Cela s'arrange ? j'impatiente.

Elle murmure :

— Ils vont prévenir.

Effectivement, le plus mignard s'éclipse en courant. J'ignore les émoluments que leur verse le marchand de cercueils, n'ayant jamais eu le prix des deux magots, mais leur conscience professionnelle est à toute épreuve et mérite récompense. Tu parles de chiens de garde ! Tu veux parier qu'ils veillent ici, la nuit, l'arme au pied, l'alarme à l'œil ?

Le batelier laisse tournicoter son moulin au point neutre. La barcasse dodeline sur l'eau figée qu'aucun courant n'anime. Un vilain rat crevé, gonflé et en pleine putréfaction, stagne contre l'un des pilotis. Le fracas de la ville est moins agressif ici que sur le Menam Chao Phaya.

La chaleur a baissé d'un ton.

Je tente de reprendre la main de miss Tieng, mais, derechef (de gare), elle me la dérobe à nouveau. M'est avis que je vais faire ballon, ce soir, avec cette gerce. P't'être n'aime-t-elle pas le blanc de blanc, après tout !

Le mataf revient, escorté d'une fille en presque uniforme. Pas laubée, la mère ! La face plate et large, le regard inexistant, faut des fourchettes à escargot pour aller chercher ses yeux. Sa figure n'est ponctuée que de traits obliques. Elle porte un tailleur bleu vif et un chemisier jaune intense. Elle a sur le ventre, en bandoulière, un appareil photo, japonais à ne plus en pouvoir, tu penses bien, déjà qu'en France t'en trouves plus d'autres !

Parvenue sur le ponton, elle empare son *Nikon-Nimalin,* nous le braque, tire une salve de clic-clac et le laisse retomber sur son bide.

— Que désirez-vous ? nous lance-t-elle, après cet étrange préliminaire.

— Rencontrer Mr. Chakri Spân, réponds-je.

— Mr. Chakri Spân ne reçoit jamais sans rendez-vous pris longtemps à l'avance.

— J'appartiens à la police française.

— Ça ne change rien à la chose. Je suis sa secrétaire, si vous avez un message pour lui, je peux le lui transmettre.

— Dites-lui que ce que j'ai à lui communiquer est strictement confidentiel. Ajoutez que cela me paraît très important. Complétez en lui précisant que j'habite l'*Oriental* et qu'il peut m'y joindre dans les meilleurs des laids.

Je ponctue d'un salut militaire impertinent, et j'ajoute :

— Si vos photos sont réussies, soyez gentille : mettez-m'en douze de chaque.

Après quoi, je fais signe à notre pilote de rebrousser klong.

Ce dont il.

Elle mange menu, la môme Tieng. Et pourtant la tortore du restaurant français est exquise, exécutée selon les préceptes de la Nouvelle Bouffe par un jeune gars de chez nous bourré de dynamisme et de savoir.

Mais elle chipote. Comme on dit chez nous : « Elle se gêne. » L'habitude de jaffer avec des baguettes, tu comprends ? Elle sait pas attaquer sa becquetance à l'arme blanche. Elle pique des portions d'oiseau qu'elle n'ose mastiquer. Délicieuse enfant ! Je lui roucoule de savantes fadaises salivaires, l'œil velouté, la voix en début d'angine, la main toujours prompte à trouver la sienne.

Elle est en train de déguster une palette des pêcheurs, façon *Barrière Poquelin,* quand un serveur s'approche de notre table, se penche sur elle pour lui dégoiser du thaïlandais non sous-titré. La miss semble surprise.

— Il paraît qu'on m'appelle au téléphone, dit-elle.

— Vous attendiez une communication ?

— Non, et personne ne sait que je dîne ici.

Effectivement, il y a là un mystère qui, pour ne pas être de Paris, nous fait eugènesuer copieusement.

— Quelqu'un de vos relations vous aura aperçue, suggéré-je. Le monde est plein d'yeux qui vous fixent à votre insu. Allez voir ce dont il s'agit et votre lanterne chinoise sera éclairée.

Elle se lève, j'en fais autant, comme il sied à un homme de bonne éducation, lorsqu'une dame quitte la table ou y arrive, et je la regarde disparaître en direction des toilettes-lavabos-téléphones, la démarche hallucinante de souplesse et d'ondulance. Ce cul, Madame !

Ce qu'il y a d'agréable, dans les restaurants d'Asie, c'est que tout au long du repas, avant, pendant et après, on t'approvisionne en serviettes chaudes, sorties de l'étuveur, si bien que tu as l'impression de bouffer en faisant ta toilette.

Je me dis qu'on devrait procéder à une extension de la chose et organiser des parties de cul avec bidets volants à disposition pendant toutes les phases de tes galipettes. Chaque fois, tu pourrais te refaire une bite ou un palais neufs, ce qui ne manquerait pas de charme.

Me voyant seul, le maître d'hôtel français vient me faire un doigt de causette, comme quoi il est ici pour enfouiller du blé et, par la suite, aller monter sa propre boîte dans un coin des Pyrénées. La vie bangkokienne ? Ça va... Une petite colonie française, des gars sympas avec lesquels il se paie une java temps à autre en causant de l'air du pays. Les distractions ? Le scotch. La bouffe aussi, car tu trouves des langoustes grosses comme des bassets artésiens pour des prix défiant les halles de Rungis. Cela dit, il va voir des combats de boxe thaïlandaise au Palais des Sports. Très curieux. Oui, il y a les massages, mais c'est bien surfait. Il préfère chez Mme Rosine, rue de Courcelle, qui héberge des petites gagneuses bien méritantes, pseudo épouses de cadres assoiffées de vison, et qui montent au fion, l'après-midi, pour douiller les traites de leur Renault 5.

Je l'écoute en louchant sur nos assiettes où le poisson coagule dans son beurre léger.

Elle dit la messe en chinois, la mère Tieng !

Rien de plus désolant quand on se paie une croque somptueuse qu'une perruche qui déserte la mangeoire. T'es obligé de l'attendre, décemment, et tes papilles consternées regardent se flétrir les mets chargés de les enchanter.

Le maître d'hôtel me laisse pour se consacrer à une tablée de sales cons qui éclusent de la bière en clappant du homard. Rien de plus affligeant que des Ricains à table, sinon des hindous en train de déféquer.

Tout soudain, le fichtre-foutre me biche et je m'arrache pour foncer aux toilettes-lavabos-téléphones.

Les deux cabines d'acajou sont désertes. P't'être que miss Bronze en a profité pour passer par les chiches s'annuler la vessie ?

Je m'hasarde à pousser la porte des toilettes pour dames, au risque de me faire traiter de sadique par une quelconque vieille Anglaise en réfection, mais elles sont vides également.

Peu banal, non ?

J'interpelle un loufiat chargé de vaisselle.

— Vous n'avez pas aperçu une jeune fille chinoise en tailleur noir et chemisier rouge ?

Il opine, ce concupiscent.

— Elle a été aux ascenseurs, me précise-t-il.

Il s'éloigne sans attendre que je l'interroge plus avant. Bibi, oublieux du repas, se rend au rez-de-chaussée pour demander à un branleur en uniforme ce qu'il est advenu d'une jolie Chinoise en tailleur et chemisier nani-nana.

Le branleur rétorque qu'elle a gagné la sortie fissa, comme si elle avait le feu aux trousses.

Alors, bon, je vais dehors. A droite de la porte, des préposés galonnés sont à un guichet et délivrent des bons de taxi. Est-ce qu'ils auraient aperçu une jolie nani-nanère qui, etc. ?

Ils répondent qu'oui, et qu'elle galopait comme si elle aurait eu le trou aux fesses.

Où qu'elle a t'été ?

— Elle a pris à droite, vers le fleuve.

Moi, tu me devines, même qu'on se connaît pas très bien, je coudaucorpse jusqu'à l'embarcadère. Une grosse dame jaune, coiffée d'un immense bada façon couvercle de lessiveuse, attend la prochaine navette, tandis que l'employé des billets discute derrière sa sacoche de cuir avec un bronze d'art qui représente un bonze.

Je demande à ces trois, d'une manière cantonaise, puisque c'est ainsi qu'on appelle la cantonade dans ce coin du world, je leur demande si nani nana nana nanère et ils me répondent (du moins le gars de la billeterie) qu'effectivement, la jolie Chinoise en tailleur noir, chemisier rouge, est grimpée dans un canot tomobile qui l'attendait.

Est-ce que par hasard, j'insiste, le pilote du canot ne portait-il point un short blanc et une casaque bleue à écusson ? Eh bien, oui, justement, papa, me répond l'employé. Et ça me fait bizarre qu'il m'appelle papa. Mais ça ne m'empêche pas de piger que Mr. Chakri Spân est un type curieux de nature qui a voulu en apprendre plus complètement à mon propos. Sachant que j'étais à l'*Oriental*, il a aussitôt fait prendre des renseignements sur moi. A su que j'y dînais en compagnie d'une Chinoise, s'est débrouillé pour qu'on appelle cette dernière au bigophone et lui a enjoint (juillet, août, septembre) de foncer à l'embarcadère. Je suis prêt à te parier la mienne contre la tienne que ma donzelle est déjà chez sa pomme.

O.K. A toi de faire, mon Tonio !

Je me rabats sur l'hôtel et mobilise l'une des exquises hôtesses de la réception pour qu'elle téléphone chez Mr. Chakri Spân, de la part de l'inspecteur chef Wat Chié, en exigeant que M. Spân vienne en ligne personnellement.

J'ai décidé que je parlerais à ce tout-puissant croquant, et je vais lui parler, dussé-je enfumer son terrier pour l'en déloger.

Effectivement, il condescend à communiquer avec Wat Chié et vient glapir en dialecte thaï ou assimilé (bien qu'Assimil n'ait pas encore sorti *Le thaïlandais sans peine*).

— En anglais, je vous prie, mister Chakri Spân ! le coupé-je. Je suis un confrère français du chef-inspecteur Wat Chié et je n'ai pas le bonheur de parler sa langue.

Il baragouine, dans un françouse un peu pâteux, mais néanmoins audible, bien que d'un vocabulaire restreint :

— Vous êtes le type qui est venu à mon embarcadère tout à l'heure ?

— Exactement, cher monsieur. Il est urgent que nous ayons une conversation.

— Pas le temps.

— C'est dommage.

— Quoi ?

— Je dis que c'est dommage.

— Pour qui ?

— Pour vous, monsieur Chakri Spân, pour vous.

— Vous me menacez ?

— Oui.

Là, il prend ces trois aimables voyelles (tiens, à

propos, je te pose une devinette : quel est le mot de six lettres qui contient cinq voyelles ? Cherche, tu trouveras la solution plus loin, grand con !) dans la poire, et elles lui font l'effet d'une casserolée d'eau froide.

Tout ce qu'il peut bafouiller, c'est de répéter sa question d'un ton effaré :

— Vous me menacez !

— En effet, monsieur Chakri Spân, je vous menace. Je vous menace de foutre la merde si vous ne me renvoyez pas immédiatement miss Tieng pour que nous terminions, elle et moi, le délicat repas que nous avions commencé. Votre français vous permet-il d'apprécier à sa juste valeur l'expression « foutre la merde » ? Ou souhaiteriez-vous que je cherche des synonymes ?

— De qui parlez-vous ? Qui est miss Tieng ?

— La personne qu'un de vos boys est venu quérir à l'embarcadère de l'*Oriental*.

— Du diable si...

— Quand nous voyons-nous ? tranché-je rudement.

Et tu sais ce qu'il me dit, l'apôtre ? Oh, non, vraiment, il a un aplomb, cézigueman.

— D'ici trente minutes, à la police, dans le bureau du chef-inspecteur Wat Chié !

Et il raccroche.

Costaud, ce monsieur, non ?

Le mot de six lettres comprenant cinq voyelles de l'alphabet, c'est « oiseau » ; mais ne va pas raconter ça autour de toi, faut que ça reste entre nous.

Un qui est mort d'embêtude, c'est le brave Wat Chié. Pas besoin d'être grand clerc, comme dit mon ami Delune, pour voir que mon coup d'audace lui court sur la bite comme une caravane de fourmis processionnaires sur celle d'un pique-niqueur endormi.

J'ai dans l'idée que le digne seigneur Chakri Spân règne sur la ville et que même les flics chocotent devant lui.

La façon vigoureuse, pressante, éploreuse qu'il lui cause au marchand de cercueils. Avec des gestes, des implorances, presque des larmes et des génuflexions, peu compatibles avec ses fonctions de chef-inspecteur. Il me coule un vilain regard d'intense reproche lorsque je franchis le seuil de son burlingue, à une heure de là, car je suis tombé sur un chauffeur de taxi abruti qui m'a piloté dans des lieux pas croyables avant de me déposer devant la grande taule.

Comme il déplore, Wat Chié, que nous n'ayons aucun langage en commun, lui et moi ! Ce qu'il aimerait pouvoir me déballer son sentiment profond, crois-le ! Il m'engueule en thaï, faute de mieux, pour la satisfaction de son illustre visiteur. M'engueuler en thaï, c'est m'engueuler à l'œil, si je puis dire (au grand dam des petits messieurs puristes qui vont croire que je fais un calembour, en associant thaï et œil, ces cons horribles dont je réprouve l'existence de fond en comble et vice versa, que vivement la bombe anatomique, merde !).

Je le laisse se vider.

Et le moyen de faire autrement, l'artiste ? Pendant qu'il s'écrème la bille, je prends notion de Mr. Chakri Spân. Comme la tête à Danton, il en vaut la peine. Quel surprenant personnage ! Courtaud, ventru, d'un jaune grisâtre, la peau du visage flasque, le nez énorme, les paupières gonflées comme des hangars à tennis, les lèvres négroïdes, les bajoues en cascade. Ses yeux, pour les fixer, faut aller les chercher là où ils se planquent, par-delà des boursouflures striées de violet.

Il est vêtu de sa fameuse combinaison jaune, constellée de poches rebondies comme ses paupières. Toute son élégance et ses signes extérieurs de fortune résident dans une chevalière ornée d'un monstrueux diamant que la reine Elisabeth II a dû lui céder en sous-main pour payer ses notes de gaz à Buckingham ; car y a que la couronne d'Angleterre qui en possède d'aussi mahousses.

Quand on te parle de tête inquiétante, en voici une. Spécimen rarissime. Froid dans le dos. Non seulement cet être est capable de tout, mais de plus il l'accomplit.

Un Bouddha ? Non, surtout pas. Chez nous, les branques, on se fait une fausse idée de Bouddha. On le croit ventru, adipeux, avec plusieurs bras. Ça confusionne ferme notre éduque. Bouddha, faut que tu saches, c'était un saint type. Prince converti au socialisme à l'état pur. Une espèce de Jésus. C'est ces enfoirés de Japonouilles qui le représentent mastar, Bouddha. En Thaïlande, il est bien constitutionné, méditatif, intercédeur céleste, quoi. Les hommes, faut qu'ils se raccrochent à des êtres supérieurs, tant tellement qu'ils se voient rien du tout, archi-moins que zéro. Archi-nuls. Archi-cons. Archiducs. Foireux — ô combien — sur le toboggan des jours.

Machin, là, que je te cause : Chakri Spân (je leur file de ces blazes, non, écoute !) il ferait Bouddha japonais, lui, plutôt. Voire Japonais tout court. Ainsi courtaud. Tête de cul, tu vois ? Ah ! les Japs ! Le regard qui coule verticalement au lieu d'horizontalement. Des pensées mystérieuses comme l'opium. Un pavot dans l'amarre ! Fachos d'instinct, héréditaires. Encore un kamikazé, v'là le vitrier qui passe ! Des zigs d'une autre planète. Fourvoyés, quoi ! Les Chinois, les Indochinois tu les sens terriens, pas de problos. Mais les Japs, moi, c'est dans le fondement que je les perçois. Ils me picotent l'oignon quand je les regarde avec leurs appareils photos. Pas du racisme. Ou alors de l'authentique : quand la vue te révulse. Mais je me fais des berlues. Je suis sûr que j'm'entendrais bien avec eux si j'étais japonais, moi aussi. Je m'y ferais. Hirochimour mon n'amas. La vérole aussi tu t'y fais, quand tu l'as. C'est à l'idée de l'avoir que tu te fais pas. Mais tout : le cancer, le cocuage, l'Académie, une fois qu'ils t'ont piégé, tu t'intègres. C'est humain.

Et moi, alors que le si aimable Wat Chié tartine, je prends un siège et m'assois en face de l'homme à la combinaison jaune. Il a les jambes croisées. Sa célèbre casquette à longue visière est posée sur son genou supérieur et cela compose une espèce de bonhomme difforme, presque aussi difforme que lui.

— Je me doute bien qu'il me raconte sa vie, fais-je à Chakri Spân, en lui désignant le chef-machin, mais j'ignore à quelle période il en est.

— A celle où il réclame votre expulsion de Thaïlande, me répond obligeamment le marchand de cercueils.

Il a la voix épaisse, mais qui fait des couacs suraigus en bout de phrase.

— Et sous quel prétexte, si ce n'est pas trop indiscret ?

Chakri Spân fouille l'intérieur de ses immenses narines, à la Béru et à l'instar du Gros, examine son butin avant de le déposer sur le bas de son pantalon.

— Sous prétexte que je déteste qu'on me fasse chier, mon vieux, il répond.

— Vous maîtrisez admirablement ma langue maternelle, complimenté-je.

— Je sais ce qu'il faut savoir pour parler à un Français, déclare-t-il, hautement méprisateur.

Moi, ce gus, tu me croiras si tu pourras, mais j'aimerais : lui filer mon soulier dans la bedaine, puis mon poing dans la gueule : lui éclater le pif d'un coup de talon, lui pisser dans la gueule qu'il serait forcé d'ouvrir en grand, du fait de son nez pété ; puis sauter à pieds joints sur ses couilles, ce à plusieurs reprises, et enfin le virguler par la fenêtre bien qu'on ne soit qu'au deuxième étage de l'immeuble.

— Pourquoi prétendez-vous que je vous fais chier ?

— Parce que vous me faites chier ! rétorque ce faux Chinois de merde.

— Vous ai-je causé le moindre préjudice, Mr. Chakri Spân ?

— Oui.

— En quoi faisant ?

— En essayant de vous introduire chez moi, puis en usurpant l'identité d'un policier d'ici pour me parler au téléphone, ensuite en m'accusant de rapt et en me menaçant de foutre la merde. Car, de votre propre aveu, vous m'avez menacé, exact ?

— Exact.

— Parfait. Je suis un commerçant réputé, je m'occupe de bonnes œuvres, j'appartiens au conseil d'importantes sociétés, et il est inadmissible qu'un fonctionnaire français en vacances vienne jouer les héros pour bandes dessinées au dépens de ma quiétude. En fait de quoi, je réclame votre expulsion aux autorités thaïlandaises et je vous parie n'importe quoi, vous m'écoutez ? N'im-porte quoi, que je vais l'obtenir.

Baisé en canard, l'Antonio chéri.

Je suis vraiment tombé sur une enclume.

Pour se payer ce mec, il faut faire appel à la main-d'œuvre étrangère, je te l'annonce ! Messire mézigue en est ulcéré plus loin que la moëlle. Je sens que même mon sperme de réputation universelle tourne vinaigre. Je suis à la limite sur le point de lui filer des coups. Il le sent, il en rêve. Je le cognerais, je te parie un kilo de pralines qu'il sortirait quelque pétard de l'une de ses abominables poches et qu'il m'en abattrait séance tenante. Son pied superbe ! Mais je me contiens.

Mieux, tu sais quoi ?

J'éclate de rire.

Rire d'opéra, quand Méphisto fait l'ès : ha ha ha ha ha ha ha ha a a a !

Wat Chié qui continuait ses imprécations sans prendre d'imprécautions, la ferme enfin. Mon terlocuteur me dévoile deux millimètres de rétine, tellement qu'est vaste sa surprise.

— Cela paraît vous mettre en joie ? il dit.

— En effet, que j'y réponds.

Là-dessus, je gagne la porte et je dis, avant de sortir, comme dans les pièces publiées jadis par *La Petite Illustration* :

— Eh bien, vous l'aurez donc voulu, Mr. Chakri Spân, cela dit vous me décevez. A en croire votre réputation, je vous aurais cru plus subtil. Mais puisque vous le prenez ainsi, moi je vais le prendre autrement. Et dites-vous bien une chose : les chênes les plus costauds ne sont pas à l'abri de la foudre. Et savez-vous pourquoi ? Parce que leur force provient de la terre, alors que la foudre tombe du ciel !

Superbement con, non ? Tu vois que, si je veux, je peux m'exprimer comme tout le monde.

Mais clamé avec un panache en comparaison duquel celui d'Henri IV aurait ressemblé à de la chantilly sur une pêche melba, ça te vous a une certaine allure. Le côté sibyllin ampoulé, tu comprends ? Les mots d'estoc et de toque. Estoque fort et on t'ouvrira.

En tout cas, c'est une manière mieux qu'une autre de quitter la pièce sans avoir l'air glandu.

Ne jamais jouer les péteux. Et plus qu't'es confondu, plus faut crier haut. Dis-moi bien qu'on doit tonitruer les mensonges pour les faire admettre. La superbe, c'est ce qui se rapproche le mieux de la vérité.

Moi, ce qui m'a toujours nui et toujours sauvé, c'est que je suis l'un des derniers passionnés de la planète. L'une des raisons qui fait ressembler le monde actuel à du coton usagé, c'est qu'il est dépassionné. Les gens se traînent, mollusquent, rampent sur leurs baves. Plus rien ne les habite, ne les entraîne, ne leur laisse une raison de vivre. Y a plus de passion, donc plus d'espoir. Y a plus qu'eux, ces cons ; alors ils pigent le combien c'est moins que rien, eux, tout enfrileusés, tout couillons, hagards, qui regardent sans comprendre, ou comprennent sans regarder. Faut se passionner, mes drôles. Se passionner pour peu importe : des bouquins, des culs, du volley-bol, de la peinture. Tiens, la peinture...

Tu vois des grands panneaux annonçant des expos. Des barbouilleurs inconnus « Fernand Dugenoud : Huiles ». T'as remarqué ? Huiles ? C'est sérieux, l'huile, non ? Je voudrais sur ces mêmes panneaux écrire : « Lesieur : Huiles ». Se marrer, quoi ! Y s'marrent plus non plus. Ne reste que quelques conneries comme mes bouques pour leur amadouer un peu la morosance. Cent ans de Tonio ! Calembredaines, pets sur commande et à la carte, tarte à la crème et aux poils de cul ; tout bien. T'achètes en sourdine. T'en prends un, tu colles *Le Monde* par-dessus et tu tends le tout à la caissière. Elle a l'habitude : te le facture sans l'ostensibler. Tu te fais pas remarquer. Comme on quittait le pharmago autrefois, avec une bouteille d'huile de foie de morue à la main et une boîte de préservatifs dans la poche. Je te recommande bien formellement : *Le Monde* pour envelopper ton Sana. D'ailleurs ils sont faits pour aller ensemble ; on a les mêmes lecteurs, lui et moi. Qu'en plus, moi j'ai les cons, ce qui rend mes tirages plus conséquents que les siens ; *Le Monde,* lui, il fait que l'élite. Plus ceux qui font semblant d'appartenir à l'élite, sinon il pourrait pas tenir. Y aurait pas les faisant-semblant, *Le Monde,* il met la clé sous ses rotatives, et il part à la pêche aux cons. Ah ! les temps sont difficiles.

Attends, où qu'j'en étais, moi ?

J'en étais bien quelque part, non ?

Ah, yes : je quittais à la Dartagnuche le burlingue de l'inspecteur-chef Wat Chié après avoir lancé l'équivalent de « Bonne à petits messieurs ».

Que me revoici en ville, o sinistres intègres !

Nouveau taxi pourri. Vacarme ! Tohu bohu. L'hagard demeure mais ne se rend pas.

L'hôtel.

Fourbu.

Je remonte au restaurant. Ne reste plus que ces enculés d'Américains bourrés comme des gardiens de la paix.

Je retourne m'asseoir à ma table desservie.

Le maître d'hôtel éberlué s'approche.

— Vous avez bien fait de mettre mon frichti à chauffer, lui dis-je, j'ai horreur de clapper tiède.

Et alors, tu vas voir : maintenant ça va chier. Ce qu'il va se passer, tu n'en reviendras pas.

Moi, toujours est-elle (on dit : « toujours est-elle et ainsi soit-il), j'ai eu grand mal à en revenir. Béru te le confirmera.

Car sans lui.

Enfin brèfle, n'anticipons pas...

Et bon, bien, tout ça...

Ayant complété mon repas par des aiguillettes de canard à la purée de mangues et un sorbet à je ne sais quoi qui sent le magasin de fleuriste, tout en éclusant comme un grand garçon une aimable bouteille de Haut-Brion dont l'année m'échappe (mais ne t'inquiète pas, je la retrouverai sur l'addition), je rallie ma chambre, lourd de pensées profondes comme des tombeaux.

Mon entrevue avec le Tout-Puissant Chakri Spân ne me dit rien qui vaille et me laisse un mauvais goût, comme quand, dans un moment d'enthousiasme, tu viens de bouffer une chatte équivoque, en croyant faire plaisir. Tu sais ?

Rallie ma chambre, dis-je, mais n'y entre point, car mon ouïe est sollicitée par une rumeur joyeuse, provenant, Dieu me pétafine, de l'antre de Béru.

C'est donc à son huis que je sonne.

Le brouhaha s'éteint, son mâle organe de poseur de rails retentit :

— Quoi, merde ? C'est qui est-ce ?

— Un ami qui vous veut du bien ! réponds-je à petite voix de Chaperon Rouge s'apprêtant à tirer la chevillette pour que chût la bobinette à sa grande vioque, bien au chaud, la vioque, dans l'estom' au loup.

La voix de Sa Grassouillette Majesté prend des inflexions civilisées :

— Hé, dis, toi, la courtaude, *open* la *door to* mon pote, pléhaze !

La porte s'écarte et, ainsi que je le dis toujours, j'opère comme les romans où il est toujours marqué quelque part *qu'il poussa la porte et entra.* Car là est la clé de toute littérature d'affabulation. *Il poussa la porte et entra,* moi je te mets au défi de trouver une phrase plus dense pour exprimer l'activité du romancier à l'établi. Tu l'imagines ce « il » mystérieux, debout, derrière la porte, prêt à tout, et puis la poussant et pénétrant dans le vif du sujet afin de faire démarrer l'action ? Ah, cher « il » porteur de tous les espoirs de suce-pince, aventurier de l'aventure, messager d'évasion, levain du drame qui mitonne ; pousse-la, cette garcerie de porte. Pousse-la lentement, qu'on en profite. Laisse nos gorges et nos anus se serrer, nos souffles se raccourcir. Pousse-la et entre, oui, entre et commence ton numéro qui va nous faire oublier nos propres chieries, à nous autres, chieurs de chiasse enchiassés jusqu'au cou dans la chiure universelle.

Il poussa la porte et entra, ce chéri, ce bienvenu, cet élu, ce nouveau, ce déterminé.

Imitons-le.

Alors, je poussas la porte et j'entras.

Et je vis des choses belles et barbares, baroques et batifoleuses. Les choses de Bérurier, d'abord, gonflées, étalées, velues, sombres comme des truffes non épluchées. Socle aux lignes monolithiques pour le membre hardi, dressé comme un mât de cocagne. L'ensemble a des allures de menhirs, de dolmens. Il y a une puissance romane dans ce groupe d'un seul jaillissement. Beau aussi comme du Maillol (pas celui qui avait du toupet et un i grec, l'autre, le sculpteur des Tuileries). Je poussas la porte et vis Béru allongé sur son lit, vêtu faiblement de deux chaussettes dépareillées et dépenaillées, les bras croisés derrière sa tête pensante, le membre impétueux et mouvant comme un métronome déréglé ; la toison en folie, mousseuse, épaisse, sorte de fourchetée de foin jetée sur son corps de taureau pour en atténuer l'indécence, sans doute, mais exaltant au contraire celle-ci.

Rigolard, trogne de jouisseur en joie, en grand bonheur physique, intense, pétulant.

Une assemblée de demoiselles nues, nymphes safranées, l'entourent. Rieuses, pépieuses, surexcitées. C'est à qui d'elles lui caressera le tringlard, lui flattera les siamoises (c'est le cas d'y dire) lui promènera l'extrémité des doigts sur les surfaces sensibles. Caresses, papouillettes, espiègleries de l'amour qui n'est que physique, presque expérimental, sensoriel uniquement. Manipulations électrisantes. Elles se marrent, ces jolies. Combien sont-elles ? Bouge pas que je les compte ; mais il est duraille comme Henry Bataille (si tu ne piges pas l'astuce, téléphone à René Clément) de dénombrer une couvée de poussins. Et ces poussines grouillantes, en boisseau, omniprésentes, ne s'en laissent pas compter.

Huit, neuf ? Qu'importe ?

On n'en a rien à foutre puisqu'on les a toutes à foutre. A prendre ou à lécher. A pendre ou à l'essai...

Ma venue ne les dérange pas. Plus on est de pafs, plus on tringle.

C'est la java jaune. Les délices de l'hémisphère suce.

— Ça consiste en quoi, exactement? demandé-je à Messire Alexandre-Benoît en lui englobant le cheptel du geste auguste du semeur.

— Parle-moi z'en pas, pouffe le surdimensionné; figure-toi qu'j'sus t'allé revoir l'amie de ta potesse, lu demander si qu'a connaissait dans c't' putain d'ville des jeunes filles d'bonne famille susceptiblement capab'd'me prendre le zigoto dans la casmate, qu'je me dégorge un peu l'ami du peuple, merde! Ell'a eu l'idée de tuber à une chiée de p'tites princesses du cul qu'ont rabattu ici, ses hanches traînantes, attirées par la curiosité. Chacune veut essayer la prouesse d'm'encaisser le milord dans l'tiroir du bas. J'ai promis aux celles qu'y arriveraient d'leur laisser prendre une photo au polaride de mon gugus et qu'j'leur signerai un'contestation en bonnet haut dc forme, comm'quoi j'me les aurais calcées; réglo, non? Elles auront même le droit d'faire figurer ma bite su'leur propectus à titre de réclame publicitaire. Moi, j'sus pas un air goteur. Une bite, ça va ça vient. J'risque quoi-ce? C'est pas Berthy qui va m'reconnaître Coquette écrit en chinois dans c'bled à la con, si? Y a peu d'chances qu'elle viendra un jour à Bancroche... Pour y faire quoi, explique? Chez des gonziers qu'ont des zobs comme des cure-dents?

— J'ai à te parler, Gros, et c'est urgent.

— Y a pas d'urgerie capab'd'me faire déjanter en c'moment, Gars, déclare-t-il tout net. T'as maté ce mandrin? Il a atteint l'point d'non-retour, non?

— Il s'agit de ma vie, Gros. Elle est en danger. Je

venais te demander de jouer les anges gardiens. En somme, je me proposais de t'engager comme garde du corps. Je t'annonce qu'il y a en ce moment dans Bangkok un type très puissant qui mijote de me neutraliser. J'ignore comment il va s'y prendre. Tout ce que je sais, c'est qu'il va agir vite. D'accord, je suis sur le qui-vive, mais deux précautions valant mieux qu'une, je te donne pour mission sacrée de veiller sur mes os.

Le Mammouth m'a écouté religieusement, mais sans dégoder toutefois.

— Pose-les dans c'fauteuil, tes os, l'artisse ; et laisse-moi m'dégager l'sensoriel, ensuite d'après quoi, çui qui voudra t'faire des embrouilles d'vra passer par mon boudoir.

Il récupère sa pose abandonnée du début.

— Allez, les belles, on va passer à l'épreuve de force. Laquelle la première, pour v'nir s'asseoir su'mon tabouret d'campinge ?

Opération blanche.

Ces dames ont dû renoncer. Nulle d'entre elles n'est parvenue à chausser cette solide émanation du terroir (de la commode) français qui a nom Alexandre-Benoît Bérurier, phénomène en son genre, et qui pourrait exploiter son excès de membrure en des boîtes scandinaves plutôt que de recevoir mille horions dans la police française.

Elles s'avouent vaincues, ces chéries. Leur étroitesse les penaudent. Elles rechignent à s'en aller, comprenant que cet échec cuisant (ça, tu peux le croire !) porte atteinte à leur vaillante nation tout entière, et que la queue de Béru bafoue les institutions thaïlandaises. La honte de ce coït impossible rejaillit sur le drapeau, porte ombrage à la gloire du mec à lunettes figurant sur les billets de banque et dont le nom insensé que je t'ai scrupuleusement énoncé en début de cet ouvrage des plus toniques (il contient 25 % de protéines, 15 % de calcium, et le reste de basses conneries) m'est sorti de l'esprit plus facilement qu'il n'y était entré. Qu'en fait, ce bon roi, ça constitue sa plus réelle sécurité, un blaze pareil. Attends, je le recherche... Ah ! Voilà ! Tu imagines des défilés, toi de gens qui gueuleraient : « A bas Somdet Phra Chao Yu Hua Bhumidol Adulyadej Rama IX ! » Ils mourraient étouffés avant d'avoir tout dit, les trublions !

De même, les artères de la ville ne seraient pas suffisamment larges pour permettre de développer des calicots portant des slogans vengeurs à l'adresse de ce monarque.

Alors, ils le gardent, quoi. Ils attendent la suite de la dynastie, en espérant que le titre du successeur sera plus maniable : mieux conspuable.

Commak qu'on n'écrit pas l'histoire. Par paresse.

C'est elle, la paresse, qui régit le monde actuel. Elle et la trouille. Feignant et chiassieux, les mecs d'aujourd'hui. Plus le reste, tout le reste, qui déjà suffirait à nous enfoncer dans les miasmes du grand marécage en gestation. Ils s'en gaffent pas, les uns, les autres, que la Terre devient marécageuse, mes drôlets ! Ou ils font semblant de pas voir. Mais leurs patounes s'embourbent un peu plus chaque jour et bien moins que demain. Ils se raccrochent à Gault et Millau. Ils agonisent la bouche pleine. Bientôt, seules leurs têtes de cons émergeront encore, et ils auront la gueule pleine de homard. Les nouveaux saint Pothin !

Que donc, puisqu'il faut toujours retourner à ses moutons, comme le disait un pâtre grec, aimable sodomite animalier, je te ramène au départ boudeur de ces demoiselles, écœurées par leurs échecs successifs mais confortées pourtant par l'unanimité d'ice-lui ; le fion vaseliné en vain, pensives, doutant d'elles-mêmes, l'allure dolente et le visage fermé comme le porte-monnaie d'un Ecossais. S'en vont, ces vaillantes vaincues. Partent à regret de ce lit au milieu duquel se dresse une tour inexpugnable. Tour qui paraît de Pise, par instants de dodelinance, mais qui vite retrouve sa verticalité triomphante, insolente. Tour défieuse. Orgueilleuse et perfide à force de se montrer altière.

— Décidément, lamente le Mastar, j'arriverai pas à tirer ma crampe dans ce pays.

Et, déçu, alourdi par cette banderie inemployée, il va se la passer à l'eau froide afin de la dissiper, espère-t-il. Mais Bérurier ne débande pas à la demande. Et il a grand mal à se rhabiller le soubassement. Il truque, plaque, rabaisse, maintient son impétuosité. Rien n'y fait. Il prend le parti de se la laisser à l'extérieur, afin de ne pas se la briser en forçant.

— J'vas t'essayer d'penser à aut'chose, déclare-t-il de guerre lasse, c'est la seule façon... Bon, t'en es où-ce-que ?

Je lui résume.

— Et tu croyes que ce Chakri Spân va t'faire ta fête ?

— Je suis convaincu qu'il a déjà commandé le gâteau et les cierges qui serviront de bougies.

— Qu'est-ce qui t'fait croire ça ?

— Cinq millimètres de sa prunelle gauche que j'ai eu l'opportunité de contempler avant de quitter la pièce. Mon décès s'y trouvait inscrit comme le titre d'un film au fronton du *Colisée.*

Bérurier ne cherche pas à me rassurer par de stériles ergotances. Il me connaît trop bien, il sait que je suis infaillible dans ce genre de divinations et que l'expérience les a toujours confirmées.

— Faut qu'on va en avoir l'cœur net, déclare mon homme.

— Exactement ce que je pense.

— T'es chargé ?

— Pauvre pomme ! Tu sais bien qu'il est impossible de prendre l'avion avec des armes.

— Y'a arme et arme, j'me gaffe que t'as pas une mitrailleuse jumelée sur toi, n'empêche qu'y vaut mieux t'garnir av'c les moiliens du beurre ; bouge pas, j'crois qu'a c'qui faut su'mon étable de chevet.

Fectivement, le Mastar s'est commandé une collation, et son couvert subsiste.

Le Dodu sort sur le balcon et aiguise longuement la lame triangulaire sur les briques de la terrasse. Lorsqu'il revient, le ya brille comme le cou de Mme de Rothschild au bal des Petits Livides.

— Attends, faut qu'j'vais t'faire un n'étui.

Il arrache sa ceinture de son futal et en tranche une douzaine de centimètres. Il glisse la lame à l'intérieur de ce tronçon de cuir doublé.

— C't'ait un cadeau d'Marie-Marie, soupire-t-il, mais la cécité fait l'oie, comme disait ma pauv'maman. Colle-moi toi ça dans la chaussette, mon lapin. Mais attends, faut t'outiller dans les rég'.

Il retourne au plateau ayant véhiculé son frichti, empare la poivrière qu'il dévisse et dont il vide le contenu dans une enveloppe à en-tête de l'hôtel.

— Garde-ça dans ta fouillette, Grand, ça peut servir. Et à présent, où c'que tu comptes aller ?

— Il y a une boîte de noye à côté de l'*Oriental,* je vais m'y rendre pour écluser un whisky et lutiner quelque entraîneuse.

— Banco, j'te file le dur. A propos d'dur, Popaul s'est remis en hivernance, ho, à la niche Azor ! V'là qu'est fait. Un' seconde, y m'vient z'encore une idée en ce dont il concerne ton équip'ment. C'est du crêpe qu't'as sous tes targettes ?

— Du crêpe comme toi, oui, mon vieux Boyard.

— Confie-les-moi-les un instant !

Je me déchausse. Le Maître-magasinier entreprend

alors d'enfoncer deux grosses épingles à l'extrémité de mes semelles. Elles dépassent ces dernières de quatre centimètres et pointent, agressives, vers l'extérieur.

— Gaffe-toi d'pas accrocher ton bénouze en marchant. Et dis-toi qu'un coup d'saton dans les noix d'un gus qui t'chercherait des rognes, et il a les couilles qui roulent su'la jante.

— Merci pour tes multiples gadgets, Gros.

— J'ai toujours été fertilisé en imagination, admet immodestement l'Enflure.

Quelle heure peut-il être en France ?

Je n'ai pas la patience de calculer. Ici la nuit est étouffante, parcourue de bouffées tantôt tièdes, tantôt brûlantes. Au bout de quelques pas, je me sens en sueur. L'atmosphère est angoissante. Je suis au cœur de mille dangers inconnus. Chaque individu qui me frôle me paraît être un ennemi. J'ai les reins contractés par l'appréhension.

La circulation est toujours aussi ardente au bout de la rue. Le délire des avertisseurs compose une cacophonie qui fait ruisseler les tympans. L'air chaud reste aussi âcre, pollué, malodorant.

Je presse le pas en direction de la boîte de nuit située sur le trottoir d'en face, tous mes sens aux aguets.

La boîte est signalée par un arceau de néon dans une façade, mais il faut longer une impasse pour en gagner l'entrée. Un *no man's land* oppressant, où des ombres se tiennent immobiles, chuchoteuses. Quels étranges marchés s'opèrent dans cet espace obscur qui sent l'Orient ? Quels vices s'y perpètrent ? Quelles machinations sordides y prennent corps ?

Le cœur fou, je m'arrête un instant, au plus fort de la nuit, en une réaction d'intense défi. M'offrant pour ainsi dire aux maléfices braqués sur moi. Il serait aisé de me frapper à cet instant. Un jeteur de lames l'aurait belle de m'en planter une dans la gorge. Un tireur défouraillerait sans grand risque.

Ma viande se relâche. Mes frissons disparaissent. Je reprends ma marche vers l'entrée.

Et j'entre. Je poussas la porte et entras! Toujours, toujours que je te dis. C'est notre destin, nous autres particulièrement, héros de polars de merde. On poussa la porte et entra, quoi. Celle-ci, celle-là, une autre, beaucoup. Portes de bois, portes de fer, si je m'entre je vais en enfer!

Des dames thaïlandaises ou chinoises me captent dans une pénombre asiate, chargée de reflets veloutés. Une musique pétarade, au niveau en dessous. Un escadrin peint en noir mène à l'antre plus noir encore.

Près du hall de réception, l'est un bar laqué rouge-dégueulis, avec des caractères noirs, et des peintures foutument mièvres : pommiers en fleur, passerelles en dos d'âne, palanquins fleuris, guili guili gui! A chier! Mais quoi, l'art, c'est l'idée qu'on s'en fait et qu'on en donne aux autres, non?

J'hésite à engouffrer dans les profondeurs. Me dis qu'un stage prélavable (Béru dixit) au comptoir d'acajou serait judicieux. Alors j'y. Derrière le rade, s'affairent deux loufiats en smockinge bleu à paillettes. Qu'à les voir remuer tu croirais deux loupiotes pour le tango (chinois), de celles qui en crachent sur la frite des tangoteurs et foutent des frissons dans les rectums. La pré-pâmade luminescente. Talalala tsoin tsoin tsoin; talalala tsoin tsoin tsoin, etc.

L'un des péones m'interroge du regard.

— Whisky-coca! dis-je en anglais (si je l'avais dit en français, il aurait entravé quand même).

Comme par enchantement, comme dit Merlin (pas

l'en chantiers, l'enchanteur), une nana m'approche. Très chouette dans une robe du soir en lamé Libranche. Pas de balcon sur la façade donnant sur la rue, mais une bathouze véranda sur celle donnant sur le jardin. Le genre de mignon cul pommé que tu ne peux pas t'empêcher de regarder circonvoluer, même quand t'es pédoque, retraité des chemins de fer, académicien, sportif endurci, bandeur mou, phallocrate, boy-scout, pasteur, vérolé ou autres.

— Puis-je vous tenir compagnie, sir ? elle questionne, la jolie au derrière préhensile.

— Volontiers, miss, rétorqué-je.

Elle se juche sur un tabouret cigogne, cependant que je me contente de rester debout. Commande une mixture au nom impossible et au goût pire encore à en croire sa couleur et son odeur.

— Vous êtes à l'*Oriental ?* elle questionne, pour parler, parce que c'est compris dans le prix de la conso, la bavasse.

— Non, fais-je, j'habite chez mes parents.

J'écluse mon whisky-coca. Du coin de l'œil, je mate l'entrée, escomptant l'arrivée de mon mammouth-gardien. Mais y a pas plus de Gravos à l'horizon que de camembert sur un fromager géant. Serait-il descendu directo à la gambille ? Ou bien monte-t-il une garde vigilante dans l'impasse ?

La petite Thaïlandaise babille. Ce qu'elle débloque, je m'en contrebranle. Des trucs, comme ça ; sur le temps, les gens, la vie. Etre cap' de jacter de n'importe quoi à n'importe qui, n'importe quand, chapeau, c'est de la prouesse. Elle me les casse un tantisoit qui mal y pense, la môme. Mais faut bien que jaunette s'espace, non ?

Je bois, et l'inquiétude me reprend pire que tout à

l'heure. Une angoisse imprévue aussi bien que mortelle. A quatre pas d'ici, je te le fais savoir ; tu seras gentil de m'accuser réception, merci.

Bérurier ; *where is* Béru ?

Pourquoi ne se pointe-t-il pas ?

Je liquide mon godet. La petite Asiatique charmante me susurre qu'elle est à mon entière dispose pour une gentille séance très complète, qui débuterait, selon son devis, par un bain moussant aux herbes aphrodisiaques, avec massage aquatique ; se continuerait par des vibros tumulus sur les parties fringantes ; se poursuivrait par un recto-digital-polyphasé ; ensuite d'alors quoi nous passerions par une broutini sur terrain adverse, pour conclure par la charge héroïque du samouraï équestre. Elle ajoute que ce programme est susceptible de subir quelques modifications, au gré du maître-d'œuvre. Elle pourra, si je voudra, me confier son catalogue d'été en vigueur depuis le 15 avril.

Tandis qu'elle m'allèche, cherchant à me ferrer à l'appât des passions, je regarde survenir au bar un extrêmement étrange bonhomme que voici en quelques phrases bien senties. C'est un infiniment vieux monsieur, chenu, maigre à devoir contourner les grilles des calorifères pour ne pas tomber dedans, vêtu d'un costar d'inspiration maoïste noir et d'un pull Bettina gris. Ses cheveux blancs sont très longs, il porte une barbichette encore plus longue. Ses yeux, très enfoncés par l'âge, sont étrangement ronds et vifs car il n'a pas les paupières tombantes, ni les falots bridés.

Il va se placer à l'angle du comptoir, garde ses bras croisés sur celui-ci, commande un jus de fruit qu'il s'abstient de boire et se met à me fixer comme si j'étais une jolie fille en train de se laver la chatte sous sa douche.

Bon, moi, aussi sec, je fuis son regard. Ce vénérable maguche appartiendrait-il à la famille des liliacées et donnerait-il dans l'oignon ? On ne peut guère imaginer la chose, tant il paraît désincarné, le vieux joker, momifié, spiritualisé. Tellement insexué que c'est à se demander avec quoi il pisse.

Une œillée comme la sienne, t'as beau détourner la tête, t'es forcé d'y revenir. Alors j'y reviens. Et pourtant la petite Fleur-de-sommier caresse mes fortifications à la Vauban, du dos de la main, avec une savanterie digne des doges. N'importe quel Santantonio réagirait, tu t'en doutes. Y compris ma statue en albâtre exposée dans la salle des pafs du Louvre. Eh bien, là, nib ! Et je dirais même, ayant pas mal d'accointances avec le Maghreb : zob !

Elle me caresserait l'oreille avec une pince à sucre, ça me ferait davantage d'effet. Je garde mes yeux plongés dans ceux du vieux et je m'y sens comme dans un plumard douillet après une partie de chasse harassante en harasse campagne.

Le temps que dure notre échange de vues, impossible à te préciser. La fille, me croyant bourré, s'esbigne. Je reste seul, à deux mètres quarante du vieillard parcheminé. Et ce mec m'ôte toute inquiétude. Il m'inspire une confiance infinie. L'idée me prend qu'il a quelque chose à me transmettre. Une espèce de message muet d'une importance capitale (comme Paris, Londres, Rome ou Pékin). J'aimerais l'approcher, mais son rayon laser m'intime que surtout pas. Alors je reste pis-que-plante à mon rade, échassier indécis, trouvant que la tanche n'est pas digne de son appétit.

Les minutes s'égrènent (de courge).

Je continue de mater le vieux gonze bouddhiste. Et alors, tout soudain, il sort un billet de sa poche, le dépose devant le verre auquel il n'a pas touché, et s'en va.

Moi, tu devines ?

Hop ! Je cigle ma conso et celle de miss Galipette.

Quitte la taule d'un pas rapide.

La silhouette foutriquette du vieillard s'achemine en direction de la rue où continuent de déferler d'incroyables et pestilentiels véhicules pareils à de monstrueux insectes cosmiques (troupiers), partis à l'assaut de la planète.

Je presse le pas. Le Vieux se retourne. Malgré l'obscurité, je crois voir ses yeux ardents et y lire un ordre : « Suivez-moi, mais sans m'aborder ».

Je le suis donc. Il traverse la rue et, chose curieuse, les voitures folles s'arrêtent pour le laisser passer.

Il fait quelques pas sur le trottoir d'en face avant de s'engager dans une voie calme et sombre, venelle sans trottoirs qui fleure la pourriture de là-bas.

Il marche d'un pas plus vif.

Je règle le mien sur le sien.

De temps à autre il se retourne, comme pour m'approuver de le filer.

Et je me retourne également, à la recherche de Bérurier. Mais toujours foin du Gros.

Qu'importe, puisque personne d'autre ne me suit.

J'ai la certitude de me trouver en sécurité. Rudement réconfortant. Tu verrais arpenter le magot ! Drôlement véloce pour son âge. Oh ! dis donc : comment qu'il a conservé sa fraîcheur de jeune fille, grand-père ! A cent berges, ça saute encore à la corde, ces petites bêtes.

Pourquoi le Gros n'a-t-il pas suivi mes instructions (c'est-à-dire moi ?). Voilà qui me turlupafe, mais en sourdine (à l'huile). Le vioque à barbiche m'a dopé. Il a jailli dans mon embarras comme un bon diable de sa boîte à malices. D'où me vient cette sensation heureuse qu'il me protège et que je dois le suivre les yeux fermés ? Que, grâce à lui, je vais pouvoir tout débrouiller et vaincre les périls dont je me crois entouré ?

Il fonce comme un coureur de marathon, sans plus s'occuper de moi, prend des ruelles tortueuses bordées de maisons sanieuses. Ça vocifère dans les masures. Ça crie, ça chiale. Des enfants se poursuivent au milieu de la chaussée, les bolides à trois roues pétaradent. Le quartier pue la misère saupoudrée de safran. La route des épices que cherchait Magellan, tu parles ! Ou bien Vasco de Gama, me souviens plus au juste...

Les épices ! Déjà, ils la trouvaient fadasse, la vie, ces bons Portugais émigrés. Et tu vois le Portugal, maintenant... Et la Grèce, dis ? La France, la grande Albiuche ? Qu'en reste-t-il des fortes puissances de jadis ? Des petits rentiers qui râlent pour qu'on augmente leur pension. Et bon, faut que la route tourne, hein ? Bravo ! Et les Grands actuels, tu ne sens pas qu'ils rapetissent, mine de rien, dis ? Que leur effarement déjà est programmé ? Vive le Maroc ! Tu verras la toute grande nation qu'il va devenir, le Maroc ! Lyautey ? Fume ! Vieux guerrier de mes fesses, le maréchal Lyautey, dit l'Africain. Figure de légende, entre autres. Le Maroc, j'en démords pas. L'avenir est à lui. Deux cent millions d'habitants en 2034, je prévois. Vue imprenable sur la Méditerranée et le cher océan Atlantique. Faut le faire ! Phosphate, manganèse, et j'en passe.

Mais faut recoller au vieux, pas qu'il me distance. Je mets la surmu. Infatigable, l'ancêtre. Il m'essouffle. J'aurai souffert sous bonze-pilote, moi aussi !

Enfin, poum, voilà, il parvient à destination. Stoppe devant une construction beaucoup plus vaste que les autres. Deux étages, trois peut-être. Avec un toit pagode, des dorures tarabiscotées.

A l'arrivée de mon guide, une large porte coulissante s'écarte. Porte de bois peinte, percée d'ouvertures à petits carreaux.

Le vieux se retourne. Cette fois, carrément, il s'adresse à moi autrement que du regard. Me fait un signe sec pour m'inviter à le suivre.

Il pénètre dans l'immeuble.

J'en fais autant.

La porte se referme derrière nous.

Et il va falloir à présent te décrire où nous sommes. Pas moyen d'y échapper. Un bouquin, c'est pas seulement *Il poussa la porte et entra,* mais en outre ce qu'il y a en deçà : les lieux, les gens, l'action.

D'accord, je retrousse les manches de mon stylo et je m'y attelle.

L'endroit est une sorte de vaste magasin comprenant un hall central couronné par une coupole de verre et trois niveaux de galeries bordées par une rambarde de bois noir.

Au rez-de-chaussée, et sur les galeries, il y a des cercueils. Mais attention, pas des boîtes à osselets à la manière de chez nous. Certes, la forme est identique, parce que sous toutes les latitudes, un homme c'est un truc long et étroit qui n'excède pratiquement pas deux mètres de haut.

Mais les bières accumulées ici sont proprement délirantes ; laquées dans les tons rouges, jaunes, verts, avec des ciselures, des peintures, des tarabiscotages dorés, des sculptures dragonesques, des exubérances à volutes, des échevellements indicibles. Certaines constituent une espèce de mausolée en soi. Elles sont à impériale. C'est baroque ! C'est stupéfiant ! Et l'intérieur, dis, l'intérieur ! Approche-toi, regarde ! Ces soies brochées, ces molletons exquis, ces coussinets brodés ! Quel luxe, quelle glorification du trépas ! T'en aimerais pas une, tézigue, pour la campagne ? Les véquendes, je te figure bien, à jouer les pachas mandarins, là-dedans. Certaines ont l'éclairage indirect, l'eau, le gaz l'électricité. Y en a des à tiroirs (les plus commodes) ; des avec kitchenette incorporée, des avec bibliothèque, des avec la télévision, et des avec des chaînes Hi-Fi (génie). Merveilleux. Le confort suprême, quoi ! Post-mortem.

L'au-delà-pullman ! Mourir en first !

Cela dit, il existe, en bas, des modèles courants, pour les lavedus qui ont des morts au rabais ; les petits médiocres de la calanche. Ceux qui crèvent à l'économie, juste pour eux, manière d'en finir avec la chiasse.

Univers époustouflant, qui m'ahurit.

Tu imagines, ce grand hall avec la verrière, tout là-haut, qui laisse passer la lune ? Et puis cet amoncellement faramineux de cercueils, entassés, empilés, et d'autres présentés de délicate manière sur des tourniquets, comme les bagnoles en vitrine sur les Chamzés ? Des en coupe, qu'on puisse admirer l'épaisseur, le garnissage, la finition extrême. Et des sarcophages de couleur, surglacés, brillants, dans les surfaces desquels ce t'est loisible de te mirer, t'admirer vivant pendant que tu peux encore, qu'il faut en profiter vite vite de sa gueule, cré bongu, avant qu'elle tourne ivoire (et carrée), pleine de trous d'ombres.

Le vieux bonze est debout au mitan du hall, il se perd dans la contemplation admirative d'un cercueil tout particulièrement réussi : avec des poignées que ça représente des dragons à la queue frétillante, et dont l'avant est en capot de Porsche (la 928), ce qui fait drôlement rupinoche pour un cercueil, l'aérodynamisme, alors là, fais-moi confiance. Et puis il y a des motifs en bronze surgaufré, un peu nouillesques j'admets, mais d'un très bel effet. Que je te dise séance tenante : ces cercueils thaïlandais font la pige aux italiens que je tenais jusqu'alors pour les premiers du monde. Pas le même genre. Le catholicisme absent, c'est troublant pour nous autres, gens de pape bon gré mal gré, même quand on ne pratique pas et qu'on rentre dans les églises juste pour admirer les rétables du XVIe Flamand ou changer la pellicule de son Kodak dans les confessionnaux.

Une religion native, héréditaire, tu restes empêtré. T'as beau regimber, dénier au Saint-Père (en l'appelant Sa Sainte-Paire) son palanquin et tout le tralala, pompe, procession, bénédictions rubis et orbite (comme dit Béru) ; t'es marqué en extrême profondeur. T'as des *pater* et des *ave* sous-jacents. La sainte croix en ombre chinoise, et la notion de Jésus qui te chemine dans l'âme, oh là là combien ! Indélébile. Quand tu tournerais agnostique, athée, tremblement, quand tu te goinferais de blasphèmes bien agencés, rigolos même, toujours catholique apostolique romain tu restes quand tu en viens de lignée. La marque. Une façon d'être sentimental. T'as beau tout ce que tu veux, ricaner en plein : mon cul sur La Salette, la main de Fatima dans la culotte d'un zouave pontifical. T'es tu sais quoi ? Stigmatisé en douce. Bité à bloc. Hop, catholique et chibre ! Plaoff ! Dans le cul, le goupillon ! *Profondly ! Thank you,* Seigneur. Grâce à Toi, ô mon Tout-puissant, la solitude n'est plus un pays, mais une coquetterie. Enfin, ça ne regarde que moi, hein ? Et encore ! Ça ne me concerne pas, puisque *c'est ainsi.* J'ai jamais pris la responsabilité d'*être ainsi,* mézigue ! Parce que si j'avais le pouvoir *d'être ainsi,* je serais peut-être autrement, va-t'en savoir avec ces choses-là !

Je t'ai sommairement (mais au prix du papier et de la main-d'œuvre, on peut pas s'autoriser de trop longues déconnes) décrit les lieux. Passons aux gens.

Ils sont quatre hormis le vieux. La fille tocassonne qui nous a flashés sur le ponton de Chakri Spân, plus trois gorilles pas laubés. Petits, mais trapus, presque carrés, ces mecs. Habillés d'un jean et d'un tea-shirt blanc.

L'un se tient adossé contre la porte, les deux autres de mon part et d'autre. La fille est assise sur un cercueil pour cadre moyen, les jambes croisées.

Personne ne moufte.

Le *very old* magot s'est désintéressé de moi, au profit de la bière somptueuse dont il admire le capiton.

Il place ses mains osseleuses derrière son dos, comme le font, je te le dis souvent, les princes qu'on sort quand ils suivent leurs gerces au boulot.

Je m'approche de lui.

Vais pour lui poser une certaine série de questions qui m'affluent.

Mais mon clappe se bloque.

Dans le cercueil, ce majestueux cercueil à grand spectacle pour milliardaire, il y a Bérurier.

Mort.

Attends, je te continue.

Mais ce que je t'ai écrit à la fin de l'autre page avait un tel côté « coup de théâtre » que je me suis dit, en vrai grand romancier que je suis :

— Toi, mon drôle, tu vas marquer le coup (de théâtre justement) et filer dare-dare sur la page d'après, laisser à ton con de lecteur le temps de morfler sa surprise dans les badigoinsses.

Bon, tu te remets, l'artiste ?

Alors on y va.

Oui : Bérurier, blafard, figé, mort. Et pire encore : mortuaire. C'est-à-dire cireux, pincé, hors de question. L'incrédulité !

Je touche : déjà froid !

J'attends le chagrin. Mais mon scepticisme est trop intense. Combien de fois déjà l'ai-je cru défunté, le gros bébé rose, dans des polars aussi tordus que celui-ci ? Ma main va à sa poitrine. Elle est marmoréenne. Je marmonne donc : « Mort ! » ; tu sais, comme dans certaines pièces de Shakespeare ?

Mais où ? Mais quand ? Déjà, lorsque j'entrais au bar ?

Je gamberge à vive allure, indifférent aux éventuels contrôles-radar.

Combien de temps s'est écoulé entre l'instant où je l'ai quitté et celui ou je le retrouve ?

La réponse me fulgure : moins d'une heure.

Or, la rigidité cadavérique ne commence à se manifester que de une à six heures après le décès.

Il est donc théoriquement impossible que mon pote se trouve déjà en totale rigidité.

Je chope un de ses bras, le soulève. Un léger craquement se fait entendre. Les muscles d'un mort ne produisent aucun bruit ; par contre ceux d'un individu en état de catalepsie, oui.

Au lieu de jouer les pleureuses et de trépigner, je vais m'asseoir sur un cercueil, tout comme la boulotte. Sur ces entrechoses, un klaxon retentit à l'extérieur. Trois petits coups et puis s'en vont. Le préposé à la lourde fait coulisser celle-ci en grand et une Rolls de couleur sombre pénètre dans le local, conduite par un petit gus en uniforme bronze, de la même couleur que sa peau.

L'un des types en jean s'empresse d'ouvrir une portière arrière. Mister Chakri Spân se dérollse avec l'élégance du taureau sortant du toril.

Bien que nous soyons la nuit, il est toujours affublé de sa combinaison et de sa gapette de tennisman.

Il marche jusqu'à moi, me regarde sans rien marquer des sentiments qui l'habitent, comme on dit dans les ouvrages de dames, raffinés et bien pasteurisés. Puis il se penche sur le cercueil, examine Bérurier. Pose une question à la cantonade à laquelle la fille répond en particulier. Chakri Spân approuve d'un hochement de tête. Il sort une liasse de billets de sa fouille, l'épluche de trois talbins qu'il tend négligemment au vieillard. Ce dernier les empare, les escamote, après quoi il joint ses deux mains bien à plat, devant son nez, et s'incline. Sans un mot, il décarre.

Chakri Spân le regarde partir et murmure, pour moi probablement, puisque en français :

— Il est efficace, hé ?

— Terriblement, admets-je. C'est un hypnotiseur ?

— Quelque chose comme ça, oui. Je n'ai jamais vu personne lui résister.

— Ce petit talent de société pourrait lui rapporter gros.

Mon « hôte » fait la moue :

— Chian-Li est un ascète. Il se contente de peu. Je le soupçonne d'agir davantage pour le sport que pour le gain. Cela dit, son pouvoir est assez limité ; par exemple il peut obliger quelqu'un à le suivre mais non à parler si ce quelqu'un s'y refuse. Ainsi, pour vous interviewer, je vais faire appel à d'autres méthodes.

— Ne vous mettez pas en frais pour moi, cher monsieur, car je n'ai rien à dire que vous ne sachiez déjà. Je suis à la recherche d'un de mes compatriotes ; ça c'est un point. Et je vous soupçonne d'être pour quelque chose dans le décès d'un certain Johannès Brandt, sujet allemand ; ça c'est un second point.

— En quoi cet Allemand vous intéresse-t-il ?

— En tant que projectile, monsieur Chakri Spân. J'ai failli être écrasé par lui ce matin, en m'approchant de la piscine de l'*Oriental* et l'un de mes meilleurs pantalons s'en est trouvé gâté. Etant flic de nature et de profession, j'ai amorcé un brin d'enquête. Elle m'a permis d'apprendre que vous vous trouviez dans la chambre de ce bon Germain au moment de sa chute. Vous avez beau avoir le bras long comme la rue *Rama IV*, il n'est pas dans votre intérêt que la chose s'ébruite.

Je lui décoche un sourire ferme comme les seins de la

petite môme avec qui tu es sorti samedi dernier, celle qui marchait avec des béquilles malgré sa bosse.

— Je compte sur vous pour réveiller mon camarade, fais-je, en montrant Bérurier, la catalepsie n'étant pas son sport préféré.

Chakri Spân ne répond rien. Il paraît méditer. Et s'il m'édite, il va gagner du pognon, demande au Groupe.

— En somme, qu'attendez-vous de moi ? finit-il par demander.

— Je viens de vous le dire : que vous réveilliez ce gentleman, il a une pilule à prendre et l'heure est déjà dépassée.

— Ensuite ?

— Ensuite, je voudrais vous proposer une alliance.

— Vraiment ?

— Vous m'aidez à retrouver le bonhomme que je cherche, et j'oublie votre visite à M. Brandt.

— Et que se passerait-il, selon vous, si vous n'oubliiez pas ma soi-disant visite à votre Allemand ?

— Il se passerait que le gouvernement allemand en serait officiellement informé par le mien, et qu'il en informerait le vôtre. Vous suivez ? Or, si j'en crois les nouvelles internationales, un gros marché est en train de se conclure entre la Thaïlande et l'Allemagne Fédérale. Bangkok serait décemment obligé de donner satisfaction à Bonn en vous causant quelques tracasseries, pour avoir l'air de jeter du lest. Un homme aussi occupé que vous n'aime pas les tracasseries, fussent-elles de complaisance. Je me trompe ?

Il ôte sa casquette et masse son front. Puis il hoche la tête.

— Sur certain point, oui, vous vous trompez, dit-il.

— Puis-je savoir lequel ?

— La réalité de vos dires. C'est vous qui inventez que

je me trouvais dans la chambre de ce type au moment de son suicide.

Il appuie ironiquement sur le mot suicide, par bravade.

— Non, monsieur Chakri Spân. Ce matin encore j'ignorais votre existence. Des témoins vous ont vu sortir de sa chambre, c'est grâce à eux que je vous ai trouvé.

— Il faudra les produire, ces témoins, riposte le marchand d'emballages-cadeaux en recoiffant son étrange gâpette.

— Je les produirai.

Alors, faut que je te fasse marrer : magine-toi qu'il me biche par le bras, familièrement, comme deux Italiens qui devisent, le soir, dans un faubourg de Napoli. Il m'entraîne vers le fond de son entrepôt. Il lance un ordre. Un gazier s'empresse, soulève le couvercle d'un cercueil pour manar en chômage.

Je regarde à l'intérieur. La boîte à dominos recèle le corps d'un des garçons d'étage qui m'ont affranchi ce matin. Le gars soulève ensuite le couvercle du cercueil voisin, et j'y trouve ce que je m'attends à y voir : la carcasse du second larbin.

Bon, très bien, je conserve mon calme.

Décidément, la répute de Chakri Spân n'est pas surfaite. Autrement dit, je l'ai dans le babe. Et si profondément que pour l'en retirer, c'est pas avec un tire-bouchon du commerce !

Va falloir jouer serré, et même jouer compressé. Le temps se gâte. C'est pourtant pas la saison des pluies en Thaïlande !

Par curiosité, je chope le poignet d'un garçon d'étage.

Ça craque. Lui aussi est en catalepsie. Du coup, la constatation me requinque. Elle prouve que le sieur Chakri Spân rechigne à éliminer complètement.

— Non, non, il n'est pas encore mort, me fait-il, confirmant ainsi ma découverte. Il mourra plus tard, plus loin, et autrement, ainsi que votre ami et... vous-même.

Il me reprend le bras.

— Tenez, cher Français très malin, je vais vous accorder une faveur : celle de choisir votre propre cercueil.

Chakri Spân me contraint de passer une revue de ses meilleures productions.

— Que diriez-vous de celui-ci, en laque noire et dorée, monsieur San-Antonio ?

— Une pure merveille, dis-je, mais je ne voudrais pas abuser.

— Du tout : prenez place !

— Sans façon, bien qu'il soit décapotable, je préfère encore une bonne petite Renault 5 sans histoire.

Chakri Spân fait claquer ses doigts et émet un ordre aigu comme un cri d'oiseau migrateur.

La gonzesse accourt sus à moi, suce-moi. Je vais pour la refouler du coude, moche comme elle est : mais elle a une esquive pivotante très basse et se fend. J'éprouve une piqûre au ventre.

Je porte ma main près de mon nombril, lequel est le centre géographique, non du monde, comme chez beaucoup, mais de ma satisfaction d'être.

L'horrible souris tient un petit instrument déplaisant, terminé par une courte aiguille ; ça ressemble à une seringue très compacte.

L'honorable Santandetonio sait qu'il est marron. Trop tard pour essayer quoi que ce soit, mon ami. L'engourdissement est immédiat, il se développe en moi comme s'étale l'encre sur un buvard. Vite et bien. Je me glace, me pétrifie...

Deux des sbires viennent me cramponner, dans un nuage polaire.

Je me retrouve à l'horizontale.

Lévitation ? Les étages bourrés de cercueils basculent dans ma vue.

On m'enfouit entre des montants de soie jaune.

A bientôt, les gars !

Fin de la Première Partie

DEUXIÈME PARTIE

EN CHASSE

J'ai connu un type, chaque fois que je le rencontrais, il me bichait par un bouton de mon veston et il me disait :

— Faut que je te fasse rire.

Un gros. On avait été à l'école ensemble. Un pas malin. Doué pour les études, mais d'une intelligence très rampante.

« Faut que je te fasse rire. »

Il triturait mon bouton de veste en me débitant des choses à la gomme qui ne me faisaient pas rire du tout. Un jour qu'il escrimait, mon bouton lui est resté dans la main, lui coupant le sifflet. Et alors, là, oui, en voyant sa gueule, je me suis franchement poilé. Comme quoi, on ne doit jamais désespérer : tout arrive.

Et ce gazier dont le nom m'a échappé au fil du temps, je me mets à y penser avant quc de reprendre tout à fait conscience. Je retrouve son visage épanoui, luxuriant, marbré de violet, ses grands yeux de chien qui te rapportc une vieille pantoufle au lieu d'un faisan, son rire si peu communicatif qu'il me faisait bâiller, éternuer, loufer, tout ce que tu voudras, sauf rigoler. Voilà que je l'évoque du fond de l'Orient Extrême ! C'est bizarre, la pensée, non ? Ces méandres, ces caprices biscornus. Machin, avec une haleine chargée d'ail, et ses gros doigts tiraillant mon bouton, ce nœud !

A lui, Truc : Victor, je crois. Victor quoi ? J'osais plus lui demander « Faut que je te fasse rire » ! Il trouvait l'existence bien pratique. Alors il la vivait gaillardement en débitant des turpitudes que même dans les bistrots de camionneurs flamands t'entends pas les pareilles. Et à lui, je repense, allongé dans mon cercueil. A des bouts de phrases tombés de ses grosses lèvres jouisseuses, davantage faites pour savourer des Côtes du Rhône qu'une chatte domestique.

Mon subconscient dissipe cette évocation. Le gros copain me devient improbable et puis s'anéantit. Dans ces périodes écrémées de la gamberge, tu t'abandonnes aux pires fantasmagories. Tu deviens n'importe qui, n'importe quoi : le Grand Ferré, le Traité de Vienne, une savonnette d'hôtel lépreux, avec poils et mousse coagulée.

Je m'agrippe aux montants et me dresse.

On est mignonnets tout plein, les quatre. Un dortoir à morts. Pas un cimetière, non plus qu'une morgue : mais un dortoir, moi je trouve. Nos quatre bières dans une chambre blanchie à la chaux (de Pise, comme de bien tu penses), avec leurs couvercles posés droits contre le flanc de la boîte.

Bérurier est déjà réveillé, lui aussi. Abruti, patatesque, roteur, péteur, tempêteur, encombré d'expectorations. Ce sont ses ébrouements qui ont eu raison de mes ultimes torpeurs. Il carcasse à s'en éclater le poitrail, le chéri. Les lampions injectés de sang. Il m'avise, voudrait me parler, ne le peut encore, m'adresse une mimique véhémente, style : « Tu parles d'une merderie de vingt-dieux de charognerie de chiasse ».

Quant aux deux larbins de l'hôtel qui avaient de

l'avance sur nous, ils sont déjà levés et, fatalistes, attendent, assis en tailleur, contre le mur.

Je regarde la pièce plus complètement, ce qui me permet de constater deux choses : la fenêtre a été murée au moyen de briques cimentées à plat, la porte est pourvue d'un blindage. Son absence de serrure me laisse croire qu'elle est munie à l'extérieur de substantiels verrous.

J'expédie un sourire aux deux gus, toujours fringués en valets d'étage : gilet rayé, pantalon noir, chemise blanche (de Castille). Ils me le rendent.

— Qu'est-ce qui vous est arrivé, mes chers amis ? leur demandé-je.

Celui qui parle le moins mal l'anglais m'explique :

— On nous a demandé d'aller à la lingerie. Une fille nous attendait. Elle nous a piqués avec une seringue. Après, on ne sait plus.

— Et, pour toi, Gros ? poursuis-je, comment s'est opéré ton kidnapping ?

Sa Majesté s'arrache de son sarcophage pour se détendre la rouillance.

— Quand t'est-ce j'sus sorti de l'hôtel, m'explique le véhément personnage, une frangine m'a sabordé en m'disant comme quoi, dans sa bagnole garée juste à côté, elle avait une jolie fille toute nue à m'proposer. J'm'ai dit : j'vas toujours risquer un œil. A peine que j'ai z'eu monté dans la tire : une sorte de fourgonnette, c'te salopiote m'a piqué et j'sus été dans l'sirop immédiatement.

Méthode simple et rapide, tu conviendras ?

Je me tais. On perçoit, au loin, des coups de feu. Gros calibre. Malgré que la fenêtre ait été aveuglée, les bruits des détonations font vibrer les couvercles de nos cercueils.

— Y a la guerre ? s'étonne le Mastar.

— On le dirait.

Les détonations sont assez espacées. Parfois il y a un doublé, et puis le silence retombe pour un moment.

— Cela ressemblerait plutôt à une partie de chasse, rectifié-je.

— T'as l'heure ? demande Alexandre-Benoît.

Très bonne question à vingt-cinq francs. Je visionne ma tocante : elle me propose trois plombes. Mais trois heures de quoi ? Du matin ou de l'après-midi ?

Je me sens dans un état de délabrement tel que j'opterais plutôt pour l'après-midi. Au reste, on ne chasse pas la nuit.

Confirmant la chose, le Mammouth déclare :

— J'ai les crochets, mézigue.

Je constate que, bien qu'étant « barbouillé », je les ai également.

Je lui relate mes derniers démêlés avec Chakri Spân.

— Ils ont des combines qu'on n'est pas armé pour lutter contre, dit le Gravos. Ces piquouzes qui te foutent en cataplasmie, ce vieux mandarin-citron qui t'hynopte, ces cercueils pour nous balader, t'avoueras que c'est pas chez nous qu'on voye des trucs pareils !

Je hoche la tête et palpe ma chaussette, ce qui n'est pas contradictoire.

Ma cervelle se trouve toujours en place dans la première, et le couteau affûté par le Gros dans la seconde. Si le sieur Spân nous a fouillés, ç'a été sommairement. La présence de cette lame me conforte.

Je me dis qu'on va bien venir nous voir et qu'alors il conviendra d'aviser.

Le temps passe. Les détonations ont cessé.

Il fait chaud.

*
**

Ce n'est qu'à sept heures que la porte se poussa et qu'on entra.

Ils étaient deux. Deux jaunes. Deux jeunes. Deux citrons.

L'un a sur l'épaule la bretelle d'un gros pistolet-mitrailleur. Il bloque l'arme contre son flanc, canon pointé, prêt à défourailler. L'autre tient un fouet de ses deux mains. Dans la droite il a le manche, dans la gauche, la lanière enroulée.

— *Stand-up !* hurle-t-il.

Et il lâche la lanière, laquelle se dévide au sol tel un reptile de cuir (bravo, ça c'est de la comparaison !). En vrai petit dompteur, il fait claquer le fouet. Obéissant comme des lions dressés, nous adoptons la position verticale et nous préparons à passer au travers d'un cerceau.

Alors le gars accomplit un léger mouvement semi-circulaire, à cafouillage prolactique, et actionne son fouet dans ma direction. La lanière s'enroule à mon cou avant que j'aie eu le temps de comprendre.

Charmant. J'ai du mal à déglutir. Néanmoins, le cuir n'est pas serré au point de stopper ma respiration.

Ayant réussi cet exploit, le frivole se met à m'haler comme un gant (ou plutôt comme un veau qu'on traîne à la foire). Je porte la main à la lanière, pour m'en débarrasser, mais ce vaurien tire un bon coup (tirons un coup, tirons-en deux, à la santé des amoureux) et pour... le coup je suis à demi étranglé.

Nous sortons dans un couloir. Le gus armé a reverrouillé la porte. D'autres lourdes donnent sur le couloir en question : toutes sont munies d'imposants verrous (deux par porte). L'endroit ressemble à une prison, et je vais te dire mieux : toutes les conditions me semblent réunies pour que ça en soit une.

A l'extrémité du couloir que je te cause, est un homme assis, comme on dit dans les mauvaises traductions. Assis sur une escabelle de bambou, et qui tient une mitraillette sur ses genoux. Il a une sale gueule et mâche je ne sais quoi, peut-être du chewing-gum après tout : la civilisation ayant pénétré les contrées les plus reculées.

Inendiguable, elle est, la civilisation. T'as vu la manière brillante qu'elle a franchi les étapes ? Nous faisant passer de la capote anglaise au chewing-gum, puis à la pilule ? Les pires coins du monde, là que les Pététés ne font pas deux distributions par jour. Pilule, pénicilline, stérilet, tartines d'hormones, tout le branle.

Le garde à la mitraillette nous regarde passer avec indifférence. Les Jaunes, c'est impressionnant pire que les Anglais. Ça vient de leurs yeux. Ils paraissent n'en pas avoir, tu saisis ? Les Anglais, eux, ils ont des yeux. Ils ne s'en servent que pour ne pas verser leur thé à côté de leur tasse, mais ils en ont. Tu peux rien lire dedans, mais leurs carreaux sont en place. Ça leur confère (Jacques, frère Jacques) un regard de mannequin aveugle, mais c'est mieux que pas d'yeux du tout. Note qu'il faut bien peser le pour et le contre, hein ? Qu'est-ce qui est préférable : avoir des yeux et qu'ils soient vides, ou ne pas en avoir et qu'ils soient pleins ? Les Jaunes n'ont pas d'yeux, mais au moins leurs yeux sont pleins-bourrés.

Van Gogh avait des yeux mais qu'une oreille. Ça n'avait pas d'importance puisqu'il ne portait pas de lunettes.

Mais je dérive...

Alors on quitte ce couloir et on débouche à l'extérieur. Je constate que la prison est un bâtiment long et bas situé à quelques centaines de mètres d'une belle demeure coloniale édifiée en rase campagne. Le terrain est plutôt galeux, avec des boqueteaux de cocotiers, des monticules sableux recouverts de plantes économes, des buissons d'épineux.

Par contre, la maison de maître est posée sur un jardin luxuriant, arrosé à grands frais. Les fleurs les plus rarissimes y poussent, comme chez toi les orties. Sur l'esplanade, il y a plusieurs *Land's Rover* à l'intérieur desquelles sont accrochés des fusils de chasse à lunette. Des boys (c'est comme ça qu'on dit depuis le colonialisme) vont et viennent (puisqu'ils vont, faut bien qu'ils viennent également, non ?). Ils paraissent affairés. On entend des éclats de voix, de rires et de verres à l'intérieur de la taule. Un piano martyrisé par un amateur joue une espèce de marche, dix fois interrompue, et dix fois reprise au même endroit. Ce pianiste-jockey ne parvient pas à passer l'obstacle d'un si bémol galvanisé en bisbille avec un do majeur légèrement tordu.

On me conduit, à bout de fouet, et canon de pistolet entre les omoplates, vers une porte latérale.

Dans la boutique, ça fait un foin du diable, à croire qu'il y a un banquet des grossistes en lard fumé et que ces joyeux ont biberonné comme des curés : plus que d'oraison.

Mon frère fouettard me traîne à un escalier garni de velours pourpre et m'oblige à en gravir les onze degrés (c'est du Primior). Au *first floor* il écarte une tenture et nous déboulons dans un atelier de peintre, vaste pièce encombrée de chevalets, de toiles et de tout le chenil qu'il est normal d'aviser dans ce genre d'endroits. Une partie du plafond mansardé est vitrée, mais pourvue de stores orientables (comme les Pyrénées du même nom). En plein mitan de l'atelier, un homme est debout, palette en main, devant un chevalet à crémaillère supportant une vaste toile.

Le peintre ?

Une cinquantaine damnée. Cheveux rasés, ce qui ne fait pas rapin du tout, ces gens-là étant à l'origine des tignasses... Il est probablement nu dans un peignoir de bain blanc maculé de frais (et de barbouille). Il peint en tirant la langue, follement concentré sur la touche de couleur que, telle une fiente d'oiseau, il va déposer là où elle va se mettre à exister.

Ayant produit cet intense effort cérébral, il recule d'un pas, ferme un œil, approuve d'un grognement, puis dépose sa palette sur une console.

Epuisé, visiblement, il se laisse choir sur un tabouret pivotant et continue d'examiner la toile.

— Eh bien, je crois que ce n'est pas mal du tout, dit-il en allemand, bien que je parle très lamentablement cet horrible dialecte, mais faut faire avec, hein ?

— Puis-je admirer ? articulé-je malgré la lanière qui m'étrangle à demi-maux.

Situation saugrenue : moi, prisonnier conduit en laisse devant cet énergumène teutonique, rasibus et quasi nu à son chevalet ; et moi demandant à voir l'œuvre de ce bonhomme.

Il me déboule un sourire plein d'or à 18 carats et me répond que volontiers.

Je m'approche. Mon dompteur veut s'interposer, mais le scalpé lui enjoint de n'en rien fiche.

Je découvre une œuvre particulièrement insolite, bien digne de l'artiste, du lieu et des circonstances. Ça représente une route sous l'orage que tu jurerais du

Vlaminck : maison blafarde au toit de chaume, arbres en torche, ciel à ras de toit, chemin blême sous la lueur convulsive de la foudre... Et alors, par-dessus ce paysage ; un robinet. Un bon gros robinet de cuivre, pimpant, rutilant de toute sa peinture fraîche. Il masque une partie de la maison, des arbres, du chemin...

— Formidable, m'exclamé-je, sincèrement, vous faites dans le surréalisme ?

Le peintre...

Attends, je te l'ai pas bien raconté. Je t'ai seulement dit qu'il avait la tête rasée, c'est maigre. Ajoute qu'il est athlétique. Qu'il a les bras velus de blond, la poitrine idem. Que ses yeux sont très clairs. Peau rose. Dents en or, déjà suggéré plus haut. Quoi encore ? Non, ça suffit, si t'en exiges davantage, écris en joignant une enveloppe timbrée à ton adresse, on t'enverra sa photo.

— Plus exactement, me répond l'artiste, j'ai inventé une nouvelle école : le post-surréalisme.

— Que vous définissez comment, cher maître ?

— Partant d'une œuvre impressionniste ou fauviste, je réalise, moi, une œuvre surréaliste. Mon travail est complémentaire. Complémentaire mais déterminant. Prenons ce Vlaminck par exemple...

— C'est une très bonne reproduction, dis-je.

Le père-peignoir lève les bras.

— Ah ! ça, vous ne voyez donc pas que celui-ci est authentique ? Je ne travaille que sur dc l'authentique, moi, mon vieux. Comment pourrais-je espérer que mes œuvres passent à la postérité si je m'accomplissais sur de la reproduction, allons, allons !

Les bras m'en tombent plus bas que les talons. Il peint sur de vraies toiles ! Non, mais tu as bien lu ce que je viens d'écrire, nez-de-bœuf ? Dis : tu as lu, ce qui s'appelle lire ?

— Et vous peignez beaucoup, maître ?

— Très peu, mais régulièrement. Pas plus de cinq à six touches par jour. Ça vous intéresserait de voir d'autres choses de moi ?

— Mais comment donc !

— Tenez, j'ai là un Gauguin qui me ravit.

Il va retourner une toile punie au pied du mur. Elle représente des Tahitiennes, tu penses, le pauvre Gauguin, comme s'il allait rater ça ! En voilà un qui aura plus fait pour le Club Méditerranée que M. Trigano soi-même !

Deux ravissantes filles en paréo vert et jaune. Par-dessus, énorme, notre homme a peint un flacon d'ambre solaire.

— Votre avis ?

— Fantastique ! réponds-je en français, et non en américain, comme j'eusse dû le faire, auquel cas je l'aurais écrit avec « c ».

— Attendez, attendez, ne bougez pas. Vous allez voir ce petit Renoir !

Il s'affaire, sélectionne la toile parmi une flopée d'autres et me la brandit. Il s'agit d'un paysage délicat, style verger en fleurs. Le créateur du post-surréalisme a brossé sur l'œuvre en question une boîte de jus de pomme du meilleur effet, l'étiquette étant rédigée en caractères gothiques.

— Eloquent, n'est-ce pas ?

— Ça dit tout, conviens-je.

J'ai le droit, dans la foulée de son enthousiasme, à un Cézanne (ouvre-toi) agrémenté d'une machine à écrire ; à un Sisley, bords de Seine, à demi englouti par un casque de motocycliste ; à un Seurat (ne vois-tu rien venir ?) incorporé au lot, bien qu'appartenant au divisionnisme, et que ce Grand Trou du Cul de Chleu de merde a positivement anéanti en l'affublant d'un appareil téléphonique rouge vif.

— Votre art doit vous coûter très cher ? observé-je.

— J'en conviens, il faut consacrer une fortune à une telle entreprise.

— Et, Dieu merci, vous l'avez ?

— Je la gagne, mon ami. Je la gagne.

— Vous êtes dans l'industrie ?

— Oh ! que non.

— Dans l'import-export ?

Ça l'amuse. Il écarte les pans du peignoir et se fourbit le zozo qu'il a plutôt menu, mais hein, je l'ai pas vu en train de gesticuler du paf.

On a quelquefois des surprises avec Mister James. T'en avise des mollusqueux, croquevillés, pas appétissants d'apparence qui, lorsqu'une main experte les a pris en charge, deviennent pimpants comme des goélettes neuves, parés pour prendre la mer et braver les tempêtes. En outre (comme disait un chamelier de mes relations) les dimensions de la queue à ce génie du post-surréalisme ne m'intéressent pas outre-mesure. C'est pas mon oignon. Donc il a écarté son peignoir, s'est gratouillé le chmilblick, et l'v'là t'y pas qui me répond :

— Dans un certain sens j'importe des produits qui, sans être réexportés, ne sont pas consommés pour autant par la population thaïlandaise.

— C'est une charade ? lui fais-je.

— Si elle vous amuse, disons que c'en est une.

— Laissez-moi deviner...

Je cherche, rassemble mon potentiel de sagacité. Lorsqu'il y en a un tas haut commak, je dis :

— Ne s'agirait-il pas d'un relais de chasse ?

Là, je lui la sectionne.

— Chakri Spân vous a parlé de moi ?

— Du tout ; mais j'ai perçu une série de détonations très révélatrices. Vous exploitez un territoire de chasse ?

— Gagné.

— Et vous faites venir du gibier d'un autre pays, gibier que des chasseurs venus d'ailleurs se plaisent à massacrer, d'où la notion d'exportation ?

— C'est admirablement perçu, mon vieux.

Il nettoie son pinceau dans de l'essence de térébenthine (je pense que ça s'écrit comme ça, cette saloperie ? Note qu'on a des correcteurs de première, au Fleuve. J'espère qu'ils sont payés à leur juste valeur ?).

— Chakri Spân m'a dit que vous êtes français ?

— De la cave au grenier, cher monsieur.

— Flic ?

— A part entière.

— Donc, fouineur ?

— Par vocation.

— Ce qui veut dire gênant.

— Cela dépend pour qui. En général, les gens que je gêne ont des activités qui gênent elles-mêmes leurs contemporains.

Le peintre va se laver les salsifis à un évier. Il se les fourbit avec de la poudre Nabab. Lorsque ses mains sont redevenus des paluches d'intellectuel, il ôte son peignoir, passe un maillot de bain et se tourne vers moi.

— Venez, nous allons rejoindre ces messieurs.

— Quels messieurs ?

— Mes clients du moment.

Je le suis sans autre, comme disent mes copains suisses. « Sans autre » est une expression courante qui signifie « sans cérémonie, simplement, sans faire d'embarras ».

*
**

Au rez-de-chaussée, ça mène grand tapage.

Chants, glouglous, pianotages...

Le maître des lieux déboule dans un salon meublé colonial ancien, avec des fauteuils d'osier à gigantesque dossier en forme de pétale d'orchidée, des tables de rotin, des tentures brodées, des Bouddhas de bronze et d'autres en bois doré. Un panio (pas colonial), des tapis, des trucs, des zizis, le reste, et puis tout ce que tu voudras, merde ! Cette marotte toujours d'en dire plus qu'il n'est besoin, de fignoler, tâtillonner-vieux-gland, tout te mâcher, mon salaud ! Voilà où ça te conduit de *poussa la porte et entra.* Une fois que t'es entré, c'est le chiendent du littérateur, tu copules avec les traditions littéraires : Zola au pied levé. Gorgon-Zola ! Hugo Frère ! Balzac 00-01, comme disaient les Mineurs de jadis. Tartine de pommade. Descriptif, compo-fran. Le *king is not my cousin !* Rédaction : *décrivez le salon où que vient d'entrer l'Antonio, ainsi que les gens qui s'y trouvent.*

Les gens qui s'y trouvent ?

Bourrés comme des déménageurs en fin de journée. Ils ne sont que trois, mais raffûtent comme vingt. Trois vieux, ou presque : au-dessus du niveau de l'amer, disons la soixantaine sonnée. Mais gaillards, attention ! Des battants. Trognes éloquentes. Mon foie, connais pas ! Schnaps, bière, whisky, vin du Rhin. Ma Moselle de Paris ! Achtung, prosit ! A la tienne, Hans ! Otto, Etienne.

A l'arrivée de leur hôte, ils se taisent et le saluent tu sais comment ? Tu vas me croire ? Tu devines ? Oui, mon gamin : à la nazi : *Heil Hitler.* Et l'autre crème de vandale, le peintre post-surréaliste qui agit de même.

A notre époque. *Heil Hitler !* Y a que dans les films « B » français qu'on pourrait penser, non ? Avec Jules Dupont dans le rôle du général allemand.

— Alors, bonne chasse, aujourd'hui, messieurs ? questionne le tondu, à la ronde et en allemand gothique.

— Herr Gotter en a fait deux, répond le plus gros, un chauve à couronne de cheveux blonds-gris. Quant à moi, j'en ai touché un, car on a relevé des traces de sang, mais il m'a échappé, Herr Hotik.

Herr Hotik, donc le nouveau Magritte, fait la moue.

— Un fin fusil comme vous, voilà qui me surprend, Herr Hudy. Et qu'a fait Herr Konhachyaler ?

— Rien, boude l'interpellé, lequel est d'ailleurs accoudé à un Bouddha.

— Ce sera pour demain, promet l'hôte.

— Je l'espère, car au prix du safari...

Herr Hotik feint de ne pas relever la mauvaise humeur de son client.

— Demain, je vous réserve une surprise, messieurs, déclare-t-il avec emphase (qui est un vieux copain de la maison) ; vous aurez à votre disposition deux Français, dont voici l'un d'eux ; que dites-vous de cela ?

Les trois têtes carrées s'épanouissent et reprennent leurs verres.

— Bravo, Herr Hotik ! s'écrient-ils d'une même voix. Des Vranzais, *gutt !*

Le peintre me tapote l'épaule et me désigne aux péones qui nous ont suivis.

J'ai droit à la lanière autour du cou.

On me remmène dans ma geôle.

Tout corps occupe de la place dans l'espace. Cette portion d'espace est son volume...

Cette définition de mon premier bouquin de géométrie me taraude l'esprit.

Pourquoi des trucs te reviennent-ils avec insistance, dans les moments les moins appropriés ? Note qu'il n'y a pas de moments appropriés pour la réminiscence *Tout corps occupe de la place dans l'espace...*

J'évoque celui d'une gonzesse en compagnie de laquelle j'ai passé des heures fiévreuses. Puis, celui d'une autre, et d'une troisième, et encore, encore... La cohorte de ce qu'on nomme stupidement les « conquêtes » ! Comme si l'on conquérait jamais quelqu'un ! Voire seulement quelque chose. Les « quelqu'un » vous quittent et le jour vient, inéluctable (de logarithmes), où l'on quitte les « quelque chose ». Tous ces corps de femme trémoussants, ondulatoires, lascifs, ouverts, offerts ; ces beaux corps en chaleur, en grand désir d'amour (d'amour de moi en l'occurrence) s'assemblent dans mon esprit comme sardines en boîtes. Et j'en évalue le « volume » justement, c'est-à-dire la portion d'espace qu'ils occupent. Seigneur, j'ai baisé tout ça ? Ce monticule énorme ? Cette colline de chair fraîche ? Ce massif de femelles aux nobles tétons, aux culs faramineux ? Aux ventres convulsifs ? Je me suis engouffré, déposé dans ces êtres à présent dispersés ?

Une mélancolie d'impuissance me vient. Une mélancolie d'abandon, de vrai renoncement.

En les étreignant, ces filles, je croyais, l'espace d'un coït, étreindre l'univers. En les possédant (euphémisme), je croyais posséder ma propre vie, en être propriétaire dé-fi-ni-tif, et non pas l'incertain locataire que nous sommes tous de nos peaux pour des durées imprécises.

Aucune d'elles ne m'est restée. Ce furent des instants, rien que des instants sans autre signification qu'eux-mêmes.

— A quoi qu'tu penses ? murmure Béru dans le silence cloaqueux de la nuit.

Il fait chaud, il fait lourd ; il fait faim et soif car le brave Herr Hotik nous laisse à la diète intégrale.

— Je donne un coup d'œil sur mon passé, dis-je.

— Attention d'pas choper un orgelet, ricane le Gros, c'est un risque qu'on prend quand on fait l'voilieur aux trous d'serrures d'la mémoire.

Il écoute le long et lugubre gargouillement qui lui taraude les entrailles.

— Ils sont fumiers d'nous laisser sans clapper. Même au goulache, y z'ont droit à d'la tortore.

Il respire profondément, manière de gonfler son estom' d'air à défaut de choses plus substantielles.

— T'aurais pu essayer un p'tit coup d'force, du temps qu't'étais av'c ce grand déboisé, reproche le Mastar.

— Il est duraille de jouer les cow-boys quand tu as le canon d'un pistolet mitrailleur au niveau de la cinquième lombaire.

— Qu'est ce c'est c't'histoire de partie d'chasse dont à laquelle on doit participationner ?

— Sûrement pas quelque chose de tout repos, Mec. Peut-être vont-ils nous utiliser comme rabatteurs ou comme appâts pour les fauves.

— On pourra p't'être en profiter pour mettre les adjas ?

— Peut-être...

Le silence nous retombe dessus comme une toile de tente mal arrimée.

Nos deux compagnons thaïlandais roupillent silcncieusement. Mais ils doivent penser tout de même, non ? Les avoir à la caille ? Chocoter en loucedé. Ça se fait, même quand on est impavide (un pas vide). Oui : ils en écrasent.

— Au lieu dc mater ton passé, reprend le Divin, tu ferais mieux d'regarder l'avenir, mon pote, vu que c'est d'ce côté qu'on s'dirige !

Toujours pertinent, l'Obèse.

L'avenir. C'est quoi, dans la conjoncture ?

— Sais-tu l'envie qui me prend, Grosse-Pomme ?

— L'envie de bouffer, œuf corse ?

— Non : d'épouser Marie-Marie.

Il hausse un sourcil, ce qui lui fait un œil grand comme un hublot du pauvre *France* bricolé, parjuré de la quille au grenier.

— Dis, ça va pas la tronche ? Une jeune fille de dix-neuf bouquets !

— Elle est en âge, non ?

— De se marier peut-être, mais av'c tézigue, c't'une aut' paire d'couilles ! Ben mon sagouin ! Un gars qu'a traîné son outillage dans tous les at'liers d'France et de Navarin ; m'sieur s'refuse rien pour son bonheur ! Une vingtaine de pions d'écart ! T'as lu ça dans la Rousse médicale, técolle, non ? J'ai pas envie qu'a soye veuve à la fleur d'l'âge, ma nièce, merde ! Et question situasse, t'amènerais quoi t'est-ce que dans l'panier d'mariage, hmm ?

Cette sordide préoccupation, relevant d'une tradition éculée, me bouleverse. Cher Tonton Béru ! Tuteur de la vieille école, soucieux d'établir sa pupille dans des sphères huppées, à un gars nanti !

— Tu souhaiterais la marier à un fils du comte de Paris ou de M. Dassault ?

— J'veux qu'elle épouse un gazier susceptib' d'y assurer le matérialiste.

— Une paie de commissaire spécial te semble insuffisante ?

— C'te môme, elle a des goûts de lusc, j'le voye bien. Tu crois qu'é s'sappe à Uniprix ? Quand elle s'achète un pull, c'est tout su'te les Galeries Lafayette. Et les tatanes, dis ? Les tatanes ? Chez Louis Jourdan, mon drôle. Et les jupes chez Ferdinand Céline. Les corsages chez Mère Courège.

— Très bien, n'en parlons plus. Je rêvais...

Un silence suit, qui n'est pas de la même qualité que les précédents. Il ressemble à une portée de musique sur laquelle défileraient les notes sorties du cerveau béruréen.

— Slave dit, j'sais qu'elle en tient pour toi, c'te gaufrette. Elle peut pas dire trois phrases sans t'mêler à sa converse, assure doucement Sa Majesté.

— Oh, laisse. Les lots de consolation, c'est pas mon genre !

Il effervesce :

— Quant à c'dont j'disais, au sujet de la différence d'âge, c'est pas calamitesque. Un garçon qu'a déjà vivu et qui connaît l'pourquoi du comment des choses, ça vaut mieux qu'un garn'ment fourreur de bites express...

— Cherche pas à me récupérer le mental, Béru, je sais bien que j'ai déconné.

— T'as pas déconné. Si tu croyes qu'je te voudrais pas pour gendre, tu t'gourres. Moi et Berthe, on n'saurait rêver mieux pour ainsi dire. On s'connaît. J'sais qu't'es un battant, un vrai du paf, tout bien ; honnête, plein d'sentiments. Ell'sera heureuse av'c toi, c'est couru. Vous aurez des chiares bioutifoules.

« Des moujingues dégourdis qu'apprendront bien en classe tout en y f'sant les cons. Je retapisse la chose en gévacolore sur écran large, mon pote. Oui, oui, faut qu'tu la maries, ma musaraigne. D'ailleurs, d'puis toute minus, ell'se garde pour toi. Berthe m'en causait pas plus tard que la s'maine dernière.

Fort du consentement de mon éminent collègue, je me sens rupiner.

Le seul ennui, c'est que nous sommes dans les griffes d'un dingue et qu'il va falloir s'en sortir sans dommages si je veux offrir à Marie-Marie un fiancé en état de marche, entièrement révisé.

Parler nous trompe un peu la soif, tout en l'aggravant. Cercle vicieux. Nous cotonnons de la salive. Soif, faim, chaleur. Et nous parlons mariage ! Les hommes, ce qui nous protège, c'est notre inconscience.

Une espèce de sommeil louche finit par nous investir, nous aidant à franchir une durée malencontreuse.

***

Un bruit de pas nous arrache.

La porte s'ouvre vivement et des boys entrent.

Achèvent de nous éveiller à coups de satons dans les montants. Debout ! Debout !

On se dresse en maugréant.

Il possède une main-d'œuvre nombreuse, Herr Hotik. Ils sont au moins une dizaine, munis de fouets et d'armes variées, à investir notre prison.

Lorsque nous sommes debout, ahuris et saumâtres, ils nous emportent. Dans le couloir, il y a deux autres Jaunes, vêtus seulement d'un short en lambeaux, on les joint à nous et la caravane sort de la prison. Une sorte de fourgon cellulaire stationne devant le bâtiment. Une espèce d'énorme véhicule tout-terrain dont un épais grillage isole la partie avant de l'autre. Le peintre a pris place sur le siège voisin du conducteur. Il est habillé d'un bel ensemble de toile brune et coiffé d'une casquette d'aspect vaguement militaire. Il fume une pipe bavaroise, en porcelaine peinte. Vu d'ici, il me semble que le motif représente le portrait de M. Otto Bismarck, en grand uniforme bochique, qu'en tout cas, c'est de la fumée d'Amsterdamer qui lui sort de la tronche : je reconnais l'odeur.

Nos gardes nous propulsent à l'arrière du véhicule. Aucun siège, faut se cramponner à ses propres pieds pour tenir debout. Ils referment les portes et les assurent avec un système de verrouillage imposant. Ensuite de quoi, eux-mêmes s'empilent dans une jeep et se mettent à nous suivre.

Le convoi contourne la demeure du « peintre » et emprunte l'allée conduisant au bout du jardin. Nous atteignons bientôt un haut grillage dans lequel s'ouvre un portail. Les deux véhicules franchissent le portail, lequel est flanqué d'un garde en arme.

A présent, c'est la lande pelée, aux arbres bas, aux buissons touffus, aux fondrières nombreuses. Je remarque que la clôture grillagée se poursuit à perte de vue, sur plusieurs hectares de terrain.

Je me dirige, en titubant, vers l'avant du véhicule.

— Est-il indiscret de vous demander où nous allons, Herr Hotik ? questionné-je.

Il se retourne à demi, ôte sa bouffarde de ses lèvres et me sourit.

— Oh ! c'est vrai que vous êtes de la fête, dit-il. Où nous vous conduisons ? A vrai dire, pas très loin. Nous vous emmenons au cœur du territoire de chasse.

— Est-il entièrement entouré de ce grillage que j'aperçois ?

— En effet.

— Alors ce territoire de chasse est en réalité une réserve, puisque le gibier ne peut en sortir.

L'inventeur du post-surréalisme n'est pas contrariant.

— C'est cela, une réserve.

— Et quels animaux y chasse-t-on ?

Il tète sa pipe à tête de type.

— L'homme, répond Hotik avec nonchalance.

Un cahot de la grosse bagnole me projette contre deux Jaunes (d'œufs). J'essaie de déglutir un brin, manière de débroussailler mon élocution.

Ayant tant mal que bien rétabli mon équilibre, je reviens à mon interlocuteur.

— L'homme ? Qu'entendez-vous par là ?

— C'est le gibier idéal, celui dont rêve tout véritable chasseur. Il existe en Allemagne beaucoup de nostalgiques qui raffolent d'abattre un type. Tuer un quidam d'une balle en plein cœur ou en pleine tête est autrement cxcitant que d'abattre un chevreuil. Mon démarcheur est obligé de donner des numéros d'ordre, tellement sa clientèle est nombreuse.

Cette révélation me cisaille la gamberge. Soudain, c'est comme si on essayait de confectionner une mayonnaise avec ma matière grise. Tout se brouille, se fige, devient épais et huileux dans ma tronche. Safari humain ! Herr Hotik a organisé une chasse à l'homme. Et des P.-D.G. respectables, qui jouent du piano en famille, donnent aux œuvres de la Croix Rouge, votent démocrate-chrétien, roulent en *Mercedes 600,* des messieurs vieillissants, survivants du cataclysme des années 40, se pointent, armés de fusils rupinos, à lunette, pour tuer d'autres hommes.

— Où trouvez-vous le gibier ? je demande enfin.

— Rien n'est plus aisé ici, mon cher. Il y a pléthore. Tous les jours, des miséreux fuient le Cambodge et le Viet-Nam pour chercher refuge en Thaïlande. Les autorités ont pris des mesures pour les refouler car cela devenait une véritable invasion. Mon excellent ami Chakri Spân a organisé une petite équipe de dérivation qui s'occupe de récupérer certains de ces réfugiés : des hommes en parfait état, capables de courir pour donner de l'agrément à mes clients chasseurs. Leur mort est nulle et non avenue. Qui donc se soucie de ces pauvres bougres errants clandestinement, sans patrie ni identité ?

— Supérieurement organisé, complimenté-je.

— N'est-ce pas ?

— Dois-je comprendre que mon collaborateur et moi-même faisons partie du gibier à trucider aujourd'hui ?

— Hélas oui, mon ami. Je ne puis refuser ce service à Chakri Spân, lequel a décidé de vous anéantir. Vous constituez la prime surchoix. C'est la première fois que je donne du Blanc à chasser. Mes trois clients ne se tiennent plus de joie. Et quel blanc : du Français ! Vous vous rendez compte de l'aubaine !

— Je m'en rends parfaitement compte, Herr Hotik.

Si ça n'est pas trop vous demander : ça coûte cher, un safari sur vos terres ?

— Cent mille marks par tête !

Je siffle.

— Mazette, vous ne vous embêtez pas !

— Les toiles de maître atteignent des cours vertigineux, plaide l'artiste.

— C'est juste. Et, pour le prix, le chasseur a droit à la tête naturalisée, je suppose ?

— Vous aimez l'humour noir, dit Hotik en exhalant une odorante bouffée. Non, ici point de trophée, la griserie de la chasse suffit.

— Il n'arrive jamais que le gibier s'échappe de la réserve ?

Il éclate de rire.

— Comment voulez-vous ? Tout le territoire est ceint d'une clôture métallique de trois mètres de haut électrifiée. Le voltage qui passe dans ce grillage foudroierait un éléphant. J'en informe le gibier avant que de le lâcher, sinon on les retrouverait tous plaqués aux mailles de la clôture !

« Quelques-uns, néanmoins, surtout ceux qui ne sont que blessés, tentent le tout pour le tout. Ils se font électrocuter, et voilà tout.

— Votre entreprise m'a l'air merveilleusement conçue.

— Nous autres, Allemands, sommes des gens méthodiques ; des perfectionnistes. Ecoutez, vous m'êtes sympathique, aussi vais-je vous donner un conseil : lorsque les chiens vous auront débusqué, ne cherchez pas à vous terrer, au contraire : montrez-vous à terrain découvert, de la sorte vous serez abattu proprement, mes clients étant généralement d'excellents fusils.

— Merci, fais-je, vous êtes un père pour moi.

— Disons un ami, rectifie Herr Hotik. Eh bien voilà, vous êtes arrivés, ravi de vous avoir connu, cher monsieur.

Et il m'adresse un petit salut cordial de la main.

Il était une fois...

Un foie, deux reins, trois raisons d'écluser Contrex.

Nous étions une fois, Bérurier et moi. Une fois en drôle de bizarre posture (j'ai bien dit bizarre) plantés en compagnie de quatre petits Jaunes éberlués dans une savane éculée. Environnés de buissons ardents, car hérissés d'épines, avec, sur un horizon de terre pauvre et d'outrancière chaleur, des bois de cocotiers pour dépliants touristiques.

Ils nous ont virgulés de la grosse jeep, et le véhicule est parti en cahotant, soulevant de l'épaisse poussière un peu dorée...

Nous voici livrés au sadisme de trois richissimes gaillards ; devenus cibles. Simplement cela : six cibles (impératrice). Misère de nos os ! Quelle piètre fin de parcours ! Dire que pour éprouver l'adresse de ces fieffés chasseurs, des bouteilles vides feraient aussi bien l'affaire ! Mais non : ils paient cent mille marks, soit presque vingt-cinq briques d'anciens francs au cours d'à l'heure que je rédige, pour goûter au plaisir indicible de faire éclater nos organes, ruisseler notre sang. Cent mille marks la possibilité de séparer nos âmes de nos corps. Prix d'amis ! C'est donné pour obtenir ce qui n'est pas chiffrable. Ils détiennent l'impossible à l'œil.

J'ai résumé la situasse, scrupuleusement au Gros. Les garçons d'étage, eux, avaient parfaitement pigé et expliqué la chose à leurs voisins cambodgiens.

La barrière électrifiée. Les chiens qui vont survenir. Et ces trois salauds avec leurs sulfateuses à lunette, l'estom' garni d'un substantiel briquefeuste, un cigare aux lèvres, le doigt impatient sur la détente de leur arme...

Dans le frémissant lointain, on entend les prémices de la battue sauvage. Le ronron de la voiture qui va amener ces seigneurs à pied de basse-œuvre, les aboiements des cadors surexcités, des rires gras...

— Venez ! écrié-je.

Ce, tant péremptoirement que tous me suivent, sans seulement se demander s'ils m'aiment. Un véritable chef, son talent, c'est pas de commander, mais de se faire obéir.

Je fonce jusqu'au bosquet de cocotiers le plus proche. Parvenus à quelques mètres des arbres, je prends la parole :

— Ecoutez, les gars, dis-je, la seule façon de ne plus être gibier, c'est de devenir chasseur. Vous autres, les copains jaunes, qui êtes plus souples que nous, vous allez grimper aux arbres. N'approchez pas du tronc, à trois mètres de celui-ci, mon pote et moi, nous vous propulserons contre lui, vous l'agripperez et l'escaladerez pour vous planquer dans le feuillage, tout en haut. Les chiens n'iront donc pas renifler le pied des arbres puisque vous n'aurez pas marché jusque-là. On va choisir quatre arbres assez éloignés les uns des autres. Mon ami et moi, nous nous dissimulerons derrière les gros buissons que vous apercevez au sommet de ce monticule, à deux cents mètres. Les chiens passeront par les arbres puis fonceront au buisson, automatiquement, d'autant mieux que nous nous y rendrons en pissant, mon ami et moi, de manière à leur offrir une piste sans équivoque. Lorsque les chasseurs qui suivront leurs chiens passeront au-dessous de vous, il faudra leur tomber sur le poil et, coûte que coûte, les désarmer. Leur unique force provient de leur foutu fusil, mais dites-vous qu'ils sont inaptes à la bagarre. Ce sont des vieux bonshommes pleins de graisse, amollis par le confort. Traduisez à nos copains qui ne comprennent pas l'anglais !

Pas mal chiadé, non ?

Bérurier est impressionné par mon esprit de décision.

— Bien pensé, l'ami, approuve Sa Seigneurie.

Nous exécutons mon plan si rapidement improvisé. Ces quatre garçons sont souples comme des singes. On leur fait « la chaise » en joignant nos mains, Bidendum et moi et on les expédie en direction de chaque arbre choisi. Pas un ne rate le but. Ils agrippent le cocotier à deux mètres du sol. Et tu les verrais escalader ces mâts de cocagne, mon trésor ! L'arpentant comme toi un trottoir à putes ; à croire que la verticale leur devient horizontale en cas d'urgerie, comme aux mouches. La bébête qui grimpe, qui grimpe ! En moins de deux, ils sont blottis dans la touffe de l'arbre.

Quant à nous deux, Béruroche et moi, on s'éloigne en licebroquant, comme annoncé plus haut. Les braves toutous vont se régaler.

***

L'attente est une épreuve toujours rude ; que tu attendes la dame que tu vas baiser, le chirurgien qui va t'opérer, le début d'un spectacle ou que meure un mourant.

Allongés sur une herbe pauvrette, le ventre au sol, les coudes en ailes d'avion, on tente de voir venir par une trouée du buisson.

Béru mastique une denrée craquante.

Je m'en étonne.

— C't'une grosse sauterelle, explique-t-il. J'ai tellement faim... T'sais que c'est pas mauvais, pour dire ? Ça un p'tit goût d'écrevisse et d'courgette crue.

Il saisit une seconde bestiole, énorme, vert-bronze, avec une tête pas sympa et des patounes arrières comme les cuisses d'Alice Sapricht. De la dimension de son pouce, cet orthoptère. Il le décapite, comme l'on fait d'un goujon frit avant de le bouffer, et se met à croquer à belles dents (si l'on ose dire, parce que les chailles du Grognard, hein ? C'est pas *Colgate* qui peut les ravoir. Fausses ou réelles, elles ont depuis lulure tourné chicots, les pauvrettes, à force de surmenage et de négligences coupables.)

— Ils arrivent ! soufflé-je.

Fectivement, la jeep des Tartarins teutons se pointe dans une apothéose de poussière lumineuse. Elle s'avance jusqu'au point où nous fûmes lâchés. Là, ces messieurs descendent, l'arme sous le bras. Deux chiens les escortent. Pas du tout des braves toutous épagneuls, bassets d'Artois et autres, spécialistes du garenne ou de la bécasse ; mais deux vilains molosses dressés pour l'homme. Des noirs écumants. Faut voir la manière qu'ils se mettent à fouiner, ces carnassiers de l'Apocalypse. Courant de-ci, de-là, nez à terre, pressés, féroces, rageurs, revenant sur leurs pas pour, aussitôt, repartir, mus par les ordres mystérieux de l'instinct.

Leur faut pas longtemps pour foncer vers le bosquet

de palmiers. Ah ! les vilains... Ils ne causent pas. Aucun jappement. Juste leur souffle rauque et saccadé. Ils tourniquent entre les arbres, vont, de fûts en fûts, partout où nous avons circulé.

— Dis donc, qu'est-ce on va faire quand c'est qu'ils s'annonceront, ces caniches ? s'inquiète le Gros.

J'extirpe le couteau aiguisé par ses soins de ma chaussette d'abord, de sa gaine improviséc ensuite.

— On tâchera de se défendre, réponds-je.

— Tu causes pour toi ; mais mézigue ? Hé, dis, l'artisse, t'as toujours le poivre ?

Juste cierge, la belle pensée ! Je m'inventorie. Mais naturellement que je l'ai ! Je dépose le paquet sur l'herbe, l'ouvre délicatement. On s'en prend chacun une énorme pincée.

— Faudra pas s'emballer, recommande le Mastar. Tant pire si qu'y nous morderont, faut leur filer ça pile dans le museau, qu'ça les fasse éternuer, ces vilains !

Je suis attentivement le déroulement des opérations. Les deux clebs quittent le bosquet parce qu'ils viennent de retapisser l'odeur de nos urines. Ils se pointent vers nous, pareils à deux petits tracteurs déterminés. Les trois enviandés de safareurs, hélas, ne sont pas allés jusque dans le bois, selon mes espérances mais demeurent en bordure.

Soudain, l'un d'eux lève la tête, et avise un Cambodgien de chasse. Aussitôt, ce sac à choucroute épaule et tire.

— Plaoffffzimmmm ! fait sa balle.

Un cri lui répond.

Puis notre pauvre petit camarade de misère choit de son perchoir. Il amorce une tentative pour s'accrocher aux branches ; mais son entreprise désespérée est dérisoire. Il s'abat en tournoyant.

Alors, tu sais quoi ? J'ose le dire ? Le tireur s'approche de lui, dégaine un coutelas de sa ceinture et le plonge dans la gorge du petit homme, manière de le terminer.

— Hip hip hip, hurrra ! clappent ses deux potes.

La vue du sang les surexcite, ces chers fumiers. Ils se disent que d'autres Jaunes, peut-être, ont imité le gars abattu et se sont réfugiés dans les cocotiers. Ils s'avancent dans le bosquet. Avisent l'un des garçons d'étage, perché lui aussi, ce qui est logique pour un garçon d'étage ! et le couchent en joue.

Dans son perchoir, le petit gars se met à hurler :

— *No ! No !*

Mais trois balles l'envoient à dache. Lui, il s'écrase sans histoire, d'une seule masse, foudroyé !

La tête pulvérisée car, d'un commun accord, ces fins flingueurs ont visé la calbombe.

Je te les abandonne un bout d'instant pour te parler des cadors qui nous arrivent en droite ligne, le nez au sol et la queue rectiligne. La manière qu'ils ne ralentissent même pas en nous débusquant en dit long sur leurs intentions funestes.

— Gaffe-toi bien, recommande le Gravos.

Il est d'un calme bouleversant, *big apple.* Ne craint ni chaud, ni froid ; ni chien, ni chat ; ni Dieu, ni diable.

Il fixe les sales clébards qui déboulent, impavide. Le hic, c'est que les deux chiens l'ont choisi pour victime à l'unanimité, le Gros. Ils l'ont élu martyr d'honneur. A lui le privilège d'être égorgé le premier.

Seulement ils sont dressés, ces clebs. On leur a enseigné à ne pas tuer le gibier ; uniquement le mettre en fuite. Alors ils se jettent sur les fringues du Terrible, les lacèrent à belles chailles.

Le Dodu balance son poivre dans les fanaux d'un de ces lascars. Hurlement abominable de la bête. Laquelle fout le camp en zig-zag, folle de douleur.

Moi, je ne fais qu'un bond, le ya à la main. La lame s'enfonce dans le poitrail du deuxième chien. Il est tellement affairé à désapper Béru qu'il semble ne pas sentir la douleur. Je lui porte un second coup de rapière à la gorge. Cette fois, il cesse de déchiqueter et gronde de souffrance. Béru en profite pour le cueillir par le gosier, à deux mains, à travers le sang jaillissant de la blessure. Il est superbe, mon pote. Grandissimo, ainsi campé en étrangleur de molosse ; formidable. Le toutou agite ses patounes à bloc.

Le Supraterrestre serre les dents, ouvre les yeux, lâche un pet semblable à une détonation de tromblon corse pour vendetta de jadis.

Encore quelques instants, et le clébard est défunté, pantelant.

Cela étant établi, revenons-en à nos chasseurs. Ils viennent de buter un troisième mec. C'est alors que le quatrième, le second cambodgien, ultime survivant, tente *the all for the all,* comme disent les Anglais-saxifs et se jette en direction du plus proche des chasseurs. Mais celui-ci a perçu le froissement des branches et s'est écarté, si bien que mon Cambodgien se ramasse la gueule comme un con, parfaitement ; moi, tu me sais ? J'ai toujours le mot con à portée de la bouche, parce qu'il est irremplaçable et tellement mérité que si je m'écoutais, je l'égrènerais comme un chapelet.

Et voilà : l'opération a foiré. J'avoue qu'elle était farfadingue, désespérée, même, dans son concept, seulement, hein ? A cheval donné on ne regarde pas la dent, et que celui qui s'est trouvé dans une plus fâcheuse et mouscaillante situation me jette la première, la deuxième, la troisième, voire la quatrième pierre.

Bon, c'est râpé.

Je répète, pour les tympans du Gros :

— C'est râpé !

— Faut voir qu'on voye, me rétroque-t-il.

Car Bérurier ne sait pas rétorquer.

Son front taurin est beau comme un plateau de fromages. Limpide, résolu.

— Passe-moi ton lingue !

— Que vas-tu faire ?

— Passe-moi-z'y, merde, toujours à questionner, nom d'Dieu !

De mauvais poil (il en a plein les mains, ceux du chien étranglé), il m'arrache le couteau sanglant, puis il cramponne le cadavre du cador et le charge sur son épaule.

— Bouge pas d'là. Mec. Attends qu'j't'envoye un' carte postale.

Délibérément, il sort de derrière le buisson en coltinant le chien mort, cependant que l'autre, vautré dans l'herbe, se passe la plante des pattes sur les yeux pour tenter de les dépoivrer.

— Tu es dingue ! m'écrié-je.

Tel un curé excommunié, il n'en a cure.

Et, oh ! que non, qu'il est pas fou, mon gros chérubin rose !

Quel superbe psychologue !

Ce sens de l'humain qu'il se trimbale, l'Enflure, yayaïe !

Il désamorce les chasseurs en comportant ainsi. D'ordinaire, le gibier fuit.

Lui, au contraire, se met à les héler. Il leur adresse de grands signes en gueulant :

— *Hep ! Hello, my herrs ! Kome-ci, kome-çà, schnell ! Fissa, mes sirs ! The dog ist kaput' kome-ci, kome-çà !*

Tout en hurlant, il marche vers le sinistre trio. Un gibier qui vient à toi, je te le répète, t'es déconcerté. Et cette idée géniale, ce détail qui couronne l'entreprise : porter le cadavre du chien.

Les autres ne mouftent pas. Aucun des trois n'a le réflexe de le mettre en joue. Un gros lard braillard, rubicond, te crie des choses en portant un animal inanimé. Bon, et alors quoi, que veux-tu faire ? L'abattre ? T'as beau être sadique, *tu n'en as pas envie ;* d'autant qu'ils viennent de s'assouvir sur les Jaunes. Bérurier, le madré paysan, a senti cela, lui, avec sa grosse tronche caramélisée. Il a su, instinctivement, que les trois boches n'auraient pas *envie* de le flinguer. Voilà pourquoi il continue de marcher vers eux, de son pas lourd de laboureur arpentant les terres grasses de l'automne.

Je le regarde aller, à travers mon buisson, et j'ai la gorge serrée, par la crainte — certes —, mais également par l'admiration.

Ça, vois-tu, ce que je contemple à cet instant c'est du grand, du très grand Béru.

Et que donc, sur eux, cette troupe s'avance ; portant sur son dos un cadavre de molosse strangulé et poignardé à souhait, dont la langue violette pend dans le dos du Gros. S'avance vers le trio horrible, Bérurier-le-Somptueux ; s'avance, sûr de soi, sûr que l'univers entier lui est acquis, et que les circonstances lui seront favorables, et que l'événement courbera l'échine sous sa main d'homme.

Tout en s'approchant des chasseurs, il continue de causer, afin d'engourdir leurs ardeurs meurtrières, ces trois salauds vomiques, ces trois misérables bipèdes trucideurs, assassineurs par goût de l'exploit monstrueux. Bokassistes nés, Amindadistes de haute venue, crevures insanes et fumières dont l'existence est une insulte à la nature tout entière.

Il leur lance des :

— *The two men ont killé your clébars, mein herrs ; attendez-me, I vais expliquer to you, schnell. But je know où qu'y sont, this salauds. Poum ! Poum, kaput ! Well make for leurs feet ! Don't bougez, mes mein herrs ; don't bougez, je cominge !*

Et le voici parmi ces trois chopes à bière ; ahuris, les vilains apôtres, par ce personnage hors du commun, et même du particulier ; tranquille, massif, souriant, brave homme plus qu'il est possible, au-delà des normes jusqu'alors établies.

Faut te préciser leurs attitudes, à ces notables pleins de pèze (cent mille marks la tête de pipe !).

Deux se tiennent l'arme au pied, dans la posture du soldat en campagne qui se laisse photographier. Têtes d'uhlan, de lard, de con. Têtes à claques. A claquer. Juste un qui a gardé son fusil dans ses mains, mais le tient « dans » ses bras, s'en barrant la poitrine. Le Mahousse a choisi, lui. Il dépose le toutou canné à ses pieds.

— *Visez-me this poor bestiole, mein herr !* fait-il en s'agenouillant au bord de l'animal défunt ; le caressant avec compassion.

Et les autres continuent de regarder.

Y'en a un, j'sais pas lequel qui lui demande ce qui s'est passé.

Béru agit au lieu de répondre.

Toujours agenouillé, il balance un crochet gros comme une crosse d'évêque dans les couilles au vieux crabe qui tient son flingue devant soi. Pépère Teuton lance un « Arrrouhhaaaa » strident. Mon pote n'a plus qu'à cueillir le fusil. Les deux autres s'hâtent de remonter le leur. Mais Alexandre-Benoît vient de défourailler dans le bide du plus preste et, à bout portant, ça lui fait un trou large comme un entonnoir dans le baquet. Frère Jean-des-Entonnoirs continue sa série de liquidation. D'un coup de crosse (qui n'est pas épiscopale, celle-là), il déguise le crâne de son autre interlocuteur en pâte à modeler. Après quoi, comme le chasseur-aux-roustons-meurtris dégaine son couteau de chasse (dont il s'est déjà servi pour égorger la première victime), le Mastar le met en joue et lui dit de jeter son ya, ce à quoi l'autre se résout, pâle comme la mort.

— Tu peux viendre, j'ai fait l'ménage! m'écrie Sa Majesté Dantesque.

Un peu honteux de mon inaction, je rallie le Gravos. Le bosquet de palmiers est jonché de morts. Six macchabées étalés sur le sol pouilleux, ça fait beaucoup et les mouches vertes organisent déjà un meeting dans le secteur.

— Sacré boulot, apprécié-je ; Gros, tu viens de signer l'un de tes plus beaux faits d'armes.

Il modestise :

— Faut pas éguesagérer, l'Artiste. Ces mirontons sont trois vieux sacs chleus, y a pas d'quoi pavoiser! J'les ai bités en trempant la soupe. Mais c'est pas volé, quand j'vois l'carnage qu'ils ont fait d'nos pauv' p'tits canaris; boug' de dégueulasses! S'lon toi, qu'est-ce j'dois faire du troisième? Une bastos dans l'plafonnier?

Je considère le troisième chasseur (je l'appelle le troisième parce qu'il est le dernier vivant). Blafard, sous sa couperose. Ses cheveux gris et rares plaqués sur le sommet de son crâne plat. Il a des lunettes cerclées d'or. Il nous fixe d'un regard liquéfié, fou d'anxiété. Il attend.

— Le jette pas tout de suite, Gars, préconisé-je, car il peut encore servir.

Là-dessus, je me baisse et ramasse le fusil d'un des deux morts. Après quoi, je cramponne leurs chapeaux verts taupés, ornés d'une plume de faisan. Je pose le plus vaste sur la tête de Béru, me coiffe de l'autre.

— Ecoutez, Herr Tartarin, je fais à notre prisonnier, vous allez aller nous chercher la jeep qui est en terrain découvert, là-bas. N'essayez pas de vous débiner avec, sinon nous vous faisons éclater la tête. Tenez, regardez ce dont je suis capable. Vous apercevez cette fleur de cactus, à la pointe du buisson, là-bas?

J'épaule, défouraille. La fleur disparaît.

— O.K., boss ? Bon, alors ramenez-moi cette jeep dare-dare. Si tout se passe bien, je vous ferais cadeau de votre saloperie de peau. *Go !*

Le cher homme va nous récupérer la jeep.

S'il est tenté de me désobéir, il sait refréner ses envies, car il nous la ramène sans, tu sais quoi ? Coup férir.

— Restez au volant ! lui enjoins-je.

Bien que n'ayant aucune notion en matière de kinésithérapie, personne ne sait enjoindre mieux que moi. Je suis l'enjoigneur-type. Il m'arrive même, quand je suis en forme, d'enjoindre les deux bouts, d'enjoindre l'utile à l'agréable ; et aussi, salace comme tu me sais, parfois j'enjoins de culasse.

Mais outre-passons.

Le brave cousin germain pilotant, Béru et moi nous dissimulant de nos mieux derrière nos bitos tyroliens (ces cons), le fusil prêt pour les manœuvres de printemps, nous sortons de notre réserve.

Le préposé au portail délourde en nous apercevant. Sans la moindre difficulté.

Ouf, nous voici à l'extérieur de l'enceinte (comme ta femme, après nos vacances à Arcachon) électrifiée. La piste conduit à la demeure.

— Contournez, dis-je, roulez dans le champ !

L'Allemand obéit. Ses mains de velours potelé tremblent sur le volant. On entend tintinnabuler sa chevalière massive contre la matière plastique.

Nous dépassons la prison qui nous hébergeait. Nous voici dans un immense espace découvert, limité au loin par une chaîne de collines arides.

La jeep tangote sur le sol gondolé.

— Accélérez ! ordonné-je (l'ayant déjà enjoint de la tête aux pieds).

Le Chleu obtempère (Lachaise) et notre véhicule ronfle rageusement dans l'air figé par la chaleur croissante (ou briochante, si tu préfères).

— Tu croyes qu'on va pouvoir aller à dache, commako ? soupire le Gravos.

— A dache, peut-être pas, mais hors de portée, ça sûrement. Mate, Gars : personne ne nous suit, on déambule comme sur les boulevards au mois d'août.

Effectivement, derrière nous, comme devant et comme Gros-Jean, tout est tranquille infiniment.

Le présent nous appartient.

Et peut-être également l'avenir si on y met du nôtre.

Seulement, vois-tu, vieux cannibale à roulettes, dans mon job (si pauvre) il ne faut jamais se laisser gagner par l'optimisme. L'euphorie est une tare qu'il convient de contrôler.

Au lieu de siffler comme un merle, sous prétexte qu'on a pu quitter le relais de chasse d'Herr Hotik aussi facilement qu'une pissotière, je ferais mieux de surveiller mon chauffeur.

Je le jugeais neutralisé, docile, à ma botte. Un Allemand, franchement, surtout de cette sale génération qui est la sienne, c'est pire qu'une couvée de serpents (à lunettes en l'occurrence).

Lui, bon, il pilote. Il se fait oublier... *Roule, roule, train du malheur,* comme chantait papa.

J'aurais engagé un chauffeur de remise, je ne serais pas plus confiant. J'ai l'esprit dégagé de son côté.

Et pourtant !

Bouge pas, faut que je te raconte par le menu, et c'est pas du menu à prix fixe, *achtung !*

Voilà qu'à force d'avancer on arrive quelque part, comme chaque fois, comme toujours. Note que c'est en restant immobile et en réfléchissant qu'on va le plus loin, moi je trouve. Ailleurs, c'est toujours pire qu'ici, puisque c'est pareil. T'as la désilluse et la fatigue du voyage pour tes pinceaux, l'aminche. Tandis qu'avec la gamberge, mon beau salaud, tu fais le voyage Terre-Lune plus vite que la lumière et sans avoir besoin de t'affubler.

Nous atteignons une route ; très jolie route, ma fois, goudronnée à point, et qui s'en va à travers des cocoteraies. Çà et même là, y a des habitations. On voit des autochtones déguisés en habitants du pays qui s'activent. Et d'autres qui ne s'activent pas. Et c'est vachement couleur locale.

Comme je ne suis pas un romancier à trois balles, seulement capable de te brader des historiettes de corne-culs, faut que je te parfasse l'éducance en t'expliquant que la noix de coco tient en Thaïlande une place aussi importante que mes noix à moi dans mon *Eminence* grand luxe. La noix de coco, les Thaïlandais, pas cons le moindre, en font du sucre et de l'huile. Du sucre lorsqu'elle est en fleur, de l'huile lorsqu'elle est devenue aussi noix que toi, bougre de tout le reste (et j'en passe). Et les Thaïlandais cocoteurs, sais-tu de quelle manière ils la cueillent, la noix de coco, mon doux cinglé ? Eh bien, ils la cueillent pas eux-mêmes, mais la font cueillir par des singes dressés. T'as des dresseurs qui passent dans les plantations de cocotiers avec leur équipe de gibbons. « On ramasse, m'sieur ? » D'accord, on ramasse. Ou plutôt on lance. Et les singes grimpent là-haut, et décrochent les noix, te les foutent sur la gueule en se marrant. Juste, tu te planques, pas prendre des capsules Apollo au sommet de la tronche… C'est malin, non ?

Qu'alors, donc, nous voici en train de cocoter dans les cocoteraies, dont l'ombre nous conconforte.

Herr Konhachyaler qui pilote lève le pied comme un

banquier libanais, désireux de profiter du bien-être.

Et nous nous détendons, Béru et moi.

C'est *very good.* Le Gros ne tarde pas à dodeliner. Sur le bord des routes, des jeunes filles nous adressent des signes amicaux, avec des rires pleins d'espérances qu'il ferait bon assouvir, sûrement.

Et voilà que, devant nous, se manifeste un camion verdâtre chargé de soldats. Ce véhicule roule à faible allure. Les troufions en tenue léopard rigolent, assis sur des bancs. Le moteur doit en avoir un coup dans les soupapes (comme on dit à la Curie romaine) car il dégage un nuage de fumaga gris et gros comme un éléphant.

— Doublez ! commandé-je.

Herr Konhachier (1) met le clignotant et accélère. On s'écarte de la trajectoire du camion pour le sauter, seulement, au dernier moment (en anglais : *the last moment*) cet enviandé de saloperie de goret teuton nazéifié se rabat et emplâtre l'arrière du camion. Logiquement, la manière qu'il s'y est pris, nous aurions dû être décapités. Sa Majesté et moi. Heureusement, sur ce véhicule de l'armée, un *Kamasoutra 69,* les roues arrière sont très en arrière, si bien que le capot entre en collision avec les pneus, mais sans être engagé plus loin que le pare-brise, tu piges ? Pépère voulait rester côté route, lui. Pas folle, la guêpe ! On part en limonade, Béru et messire Moi-Même. Les quatre fers en l'air. La jeep déroutée se met à zigzaguer, puis fonce résolument sur sa gauche, traverse la chaussée sans encombre et culbute par-dessus un remblais, lequel dominait un marécage.

(1) Il arrive que San A. modifie les noms de certains de ses personnages secondaires en cours d'action, mais il le fait de telle sorte qu'une confusion est impossible. Ainsi ce Konhachyaler est-il devenu Konhachier.

Plongeon général.

Le camion stoppe. Les soldats décamionnent et se pointent.

L'ordure d'Herr Konhachier leur hurle à pleine voix que nous sommes de dangereux gangsters, bien meurtriers, de vrais fauves !

Des mitraillettes nous braquent. On s'arrache à la gadoue, les bras levés, ce qui n'est pas commode.

Je voudrais essayer d'en placer une, mais j'ai des têtards dans la bouche. D'ailleurs, le gros sac-à-saucisses ne me laisse pas le temps de cracher. Il clame tout azimut qu'il est allemand (comme s'il y avait de quoi s'en vanter !) Président-Directeur Feld Général des Usines *Grassmoule* de *J'tue-ce-gars* (en chleu : Stuttgart) et qu'il a un hôtel particulier avec douze domestiques dans Salöpstrasse, qu'il est abonné à l'Opéra, qu'il adore bouffer du Rehrücken avec des Preiselbeeren ; décoré de la Croix de Fer et qu'il raffole des Petits Chanteurs à la Croix de Fer ; quarante ans de mariage, quatre enfants dont l'un est antiquaire et l'autre pédéraste également ; tout ça... Son curriculum y passe, à herr Konhachier, dans l'émotion. La réac qui s'opère. Il se montre sous toutes ses qualités, arbore ses titres. Se résume : Allemand, riche, adulé ; et nous Françouzes, égorgeurs de Jaunes que ça nous est devenu indispensable depuis l'ancienne Indochine. Il montre nos fusils ! Il clame nos forfaits : quatre Jaunes abattus dans la propriété de son ami Herr Hotik, plus deux grands amis à lui qui voulaient courageusement s'interposer : Herr Gotter, fabricant de cartes, à Brême. Herr Hudy, grand maître des *Laboratoires Saussis,* de Francfort. Du beau, du grand monde ! Et voilà ce qu'on vient de tuer, nous, abominables sous-Français dont il n'est point certain que nous ne soyons pas juifs ; qu'on nous regarde un peu le gland, pour vérifier. Il est prêt à parier que le rabbin Débohâ est passé par là avec son sécateur musical.

Un sous-officier qui comprend l'anglais comprend également qu'il convient de nous embastiller.

Il glapit ce qu'il faut et ses bidasses nous lient les mains dans le dos et nous font grimper dans le camion.

— Y a un' chose dont j'm'esplique mal, murmure sombrement Alexandre-Benoît : c'est l'pourquoi qu't'as laissé l'volant à c'tendoffé. Ce mec, tu voyes, fallait, sitôt éloignés de la crèche, y aérer les méninges d'une belle praline dans la soupente ; mais non, m'sieur joue à la bonne Samaritaine ; les ordures, Tégnasse, faut qu'tu les dorlotes, c'est dans ton tempérament, t'as peur qu'é prennent froid et qu'é s'enrhument. A présent, va falloir s'refaire une situation conv'nab' ; et avec les certificats qu'on dispose dans ce bled, j'pense qu'on est au chômedu pour un bout de temps.

Contre toute attente, nous n'allons pas très loin : une dizaine de kilomètres au plus. Et même pas des kilomètres carrés, mais de simples kilomètres linéaires, de ceux qui vont connement d'un point à un autre sans faire chier les écoliers avec des multiplications. Remarque, ils se feront chier de moins en moins, les écoliers, grâce à l'électronique. Tous, ou presque, possèdent déjà leur petite machine à calculer. Et bientôt, moi je prévois, ce sera l'ordinateur de poche à apprendre les leçons et à faire les devoirs pour, dans un avenir qui déjà se profile, accéder au bouquet final : la pile du savoir.

A dix piges, tu choisiras ta voie, et on te foutra dans le cul, ou ailleurs, je ne suis pas sectaire (tout juste scatologique), un minuscule machin pas plus gros qu'un pois chiche qui t'apportera treize années d'études d'un seul coup d'un seul. Juste l'orientation, je te dis : science-pot, H.E.C., médecine, polytechnique, etc.

Un petit greffon de rien, de moins que rien, raccordé à la pensarde. Et poum : te voilà nanti d'un solide bagage. Tu verras, tu verras, rigole pas, on est en train, on te prépare, tes chiares auront pas la science infuse, mais la science greffée. Ils sortiront pas de l'E.N.A., c'est l'E.N.A. qui rentrera en eux. A la base du cerveau, tout compte fait, plutôt que l'oignon, je prévois, pour le dépôt sacré, le raccordement sera plus fastoche, y aura moins de canalisations à poser.

Bon, attends, je te reviens à nous autres dans le camion. Je perds jamais de vue, si t'as remarqué ? Je déconne, vagabonde, disserte, merdoie, enquiquine, et puis hop ! Par ici, baron ! Il retombe sur les pieds plats de son historiette, l'Antonio-bien-aimé.

Les militaires stoppent dans une agglomération devant un bâtiment de police. Eux, comprends : ils ne sont pas flics. Ils rescoussent quand ça chic trop fort, mais point à la ligne. Alors, bon, l'officier qui nous a pris en charge pénètre dans la taule : une maisonnette pour garde-barrière, pas plus grande, en bordure de route. Il parlemente un instant, et deux gendarmes sortent, la face élargie, les yeux bridés comme un cheval, l'air assez joyce d'avoir quelque chose de neuf et d'intéressant à faire.

Ils nous prennent en charge, nous font pénétrer dans leur guitoune à coups de genoux dans les meules en invectivant, que je me demande bien pourquoi ils ont cette stupide marotte, tous les poulets du monde (que s'ils voulaient bien se donner la menotte, ça ferait une belle chaîne de monstres) d'injurier les gens qu'ils sanctionnent. Un motard te siffle sur l'autoroute, pour excès de vitesse ; le v'là qui te mugit en pleine poire, comme si tu venais de traverser le potager de sa villa *Sam'Suffit,* ou de baiser sa femme, ou de talocher ses gosses. Merde ! Bon, je veux qu'il est là pour faire régner la loi. Ça oui, O.K., mais pas pour prendre les patins de la loi. Il doit l'appliquer, uniquement l'appliquer avec ses paperasses, le code, le ballon, toute la lyre ; mais pas la vociférer. Moi, je vois, y a peu, un qui me course sur l'autostrada, faut convenir que j'avais dépassé la dose prescrite, et qui te me joue le branle du siècle, jusqu'à me traiter d'assassin. Non, mais je te jure qu'ils se prennent pour nos papas, ces messires les archers.

Une infraction, c'est pas sur leur personne qu'on la commet, si ? On les traite pas de gueules de vaches ou d'enculés, si ? On leur a pas porté atteinte : on les fait travailler. On les justifie ! Si personne ne déconnait, ils arracheraient des patates ou déboucheraient des éviers, ou bien seraient pompistes, enfin un job à leur portée, quoi ! Merde ! Ces façons d'engueuler les gens qui te font vivre, c'est déplacé, non ? Pas correct du tout ! Moi j'insurge. J'ai rien contre eux, je les trouve nécessaires, tu vois, j'ose le dire. Je suis le type qui ose encore écrire que la police est nécessaire. Né-cessaire ! Fringants, sur leurs chevaux de feu. Bioutifoules dans tout leur cuir ! Alors ?

Et les deux poulets jaunes (ils sont peut-être de Bresse) font comme les draupères de chez nous, nous propulsent dans leur poste policier. Herr Konhachier suit, très digne, sûr de soi. Il explique qu'on est des bandits dangereux : six morts sur la conscience. Français, donc communistes. Il confirme une impression que ces deux messieurs entretenaient déjà : TOUS les Français sont communards. Il va leur dire une chose. Mais faudra pas répéter : même Giscard appartient au Parti. Il recommande qu'on nous surveille de près. *Achtung : very dangerous !*

Les deux pandorés (ils sont d'un jaune brillant) nous poussent dans une sorte de cellule grillagée en communication avec leur bureau. Proposent en grande déférence un siège à Herr Machin. Le plus gradé des deux se précipite au bigophone pour tuber aux instances supérieures. Il y a un matériel de phonie dans la taule. De temps à autre, un haut-jacteur nasille quéque chose qui paraît évasif, à l'intonation.

— On est dans un sacré sale bidule, n'est-ce pas, m'sieur le duc ? soupire Alexandre-Benoît en s'asseyant sur le sol.

— Et alors ? lui opposé-je.

Il ravigote à outrance, le Gravissimo.

— Ben, alors, faut qu'on va s'en sortir, non ?

— Très bonne question à mille francs, réponds-je ; as-tu ton râtelier ?

— Textuel.

— Je veux dire : dans ta bouche ?

— Présent ! clame l'Enflure en retroussant ses labiales.

— Bon, alors, mine de rien, essaie de me délier.

Je me place dans la posture souhaitable.

Et, illico, il s'active.

Te dire qu'en peu de temps je suis détaché, pas seulement des biens de ce monde, mais des ficelles absurdes qui me meurtrissaient les poignets, tu le devines tout seul. Hein que c'est vrai, p'tit gars ? Con, mais madré, n'est-ce pas ?

Or, donc, je récupère l'usage de mes mains ; ce qui me permet de faire bénéficier le Mammouth du même avantage.

Seulement, maintenant, il conviendrait de se faire *opener the door* avant l'arrivée du bateau-amiral, qu'ensuite ça risque d'être trop tard, tu comprends ?

— T'as une idée ? je questionne au Gros.

— Moui, me répond-il, mettant un « m » à oui, plutôt qu'un « v » afin de marquer la brièveté de sa réponse.

— Quelle ?

— Laisse !

Faut toujours lui donner carte blanche, à ce gros lardon. Quand il mijote un plan, il l'accomplit seul. Eh bien, qu'il suive donc son destin !

Le Gros, tu sais pas ? Il s'avance à la grille et saisit un barreau de chaque main pour bien montrer qu'il est libéré de ses liens.

— *Will you excusate-me, gentelmants,* apostrophe le Débonnaire, *but I have besoin to go the chichemanes ; it is verrue urgent. I don't bonnis des vannes to you, you can listen...*

Et, joignant le geste à la parole, si l'on peut dire (et tu vas le voir, on peut !) il balance un pet qui ferait sursauter un asile peuplé de sourds-muets.

Les flics s'interrogent. Tentant de s'y retrouver dans l'anglais d'infortune du Mastar. Mais, le pet est plus éloquent que son vocabulaire franglais. Les moyens d'expression les plus sommaires sont les plus efficaces.

Lors, Herr... Comment je te l'ai baptisé, déjà ? Oh ! oui : Konhachier (ça se prononce konnehakiiir, je suppose ?) Herr Konhachier, dis-je, qui est une saloperie de première grandeur, remarque que Béru est privé de ses liens. Il signale le fait aux deux pandorés, lesquels répondent que dans notre geôle, il importe peu que nos mains fussent entravées ou pas.

— *Let me to go the chiottes, pléhase !* implore le Gros.

Il ponctue de mimiques appropriées : se massant l'abdomen (public), tressautant d'un pied l'autre, se courbant en avant, répétant, rouspétant, feignant le malaise angoissant, l'imminence d'une mise à jour de sa boyasse en débandade, larmoyant de surcroît, bref se livrant à une comédie grotesque, voire gênante pour le genre humain auquel nous avons tous la faiblesse d'appartenir, les autres et mézigue, à des titres divers non cotés en Bourse.

N'obtenant pas ce qu'il requiert, le Gros opte alors pour les grands moyens et tombe son futal, marquant bien par cette entreprise décisive qu'il n'en restera pas là et tiendra ses promesses.

Du coup, les deux gendarmes s'inquiètent.

L'un d'eux hurle « stooooop ! ». Il dégaine son revolver et ouvre la lourde en ordonnant au « Pétomane » de venir.

Ce que l'interpellé s'empresse.

Le pantalon sur les chevilles, trottinant comme une dame malhabile qui vient se faire baiser sans ôter complètement son slip.

Il sort.

Et tout se passe comme tu te doutes, comme je sais, comme il fallait que cela se passât. Pépère se baisse comme afin de relever son grimpant dégrimpé. Ayant la tronche à l'équerre, il fonce dans le bide du gendarme. Rushe jusqu'au mur contre lequel il le plaque et l'emplâtre de première, l'asphyxiant recta ; tu mords bien le développement des péripéties périphériques ? Poil ! Bérurier ramasse le soufflant que son mec a lâché. En somme, c'est une répétition de la scène qui eut lieu à la chasse avec Herr Konhachier ; sauf qu'y faut remplacer le vieux chnoque à lunettes par un petit jaunet frétillant et le fusil, à lunette également, par un vieux *Robinson swiss* 9 mm de large sur 180 de long, à déjection globulaire. Voilà. Poil ? Bon.

L'Allemand qui fut échaudé se précipite et file un grand coup de saton dans la coupole au Gravos. Le drame du Teuton, c'est qu'il est plus près de ses soixante-dix carats que de son service militaire. A c't'âge là, l'impact ne se fait plus. L'en faudrait six et demi fois plus pour étourdir le Formide.

— Ah ! ma carne, qu'il dit. Ah, mon gestapiste, c'te fois, tu l'auras cherché.

Il se dresse et poum ! poum ! cloque une prune dans chaque verre des lunettes à Herr Trucachier. Qu'il voulait simplement en briser les vitres, sans doute, Béru, mais les balles vont plus loin avec Herr Konhachier.

Pulvérisent ses carreaux, d'accord, mais continuent de trajecter pour s'enfoncer dans sa hure. Et le P.-D.G. d'Outre-Rhin (comme on disait puis à l'époque où le Rhin n'était pas encore asséché et remplacé par l'autoroute Saint-Gothard-Mer-du-Nord) est carrément énucléé. Chose bizarre, ses lunettes sans verres ne sont pas tombées de son pif. Il reste un court moment droit, avec deux cascades rouges derrière la monture d'or avant de s'écrouler comme un château de tartes.

Maintenant, Béru s'occupe du second gendarme, lequel ne fait aucune difficulté pour lever bien n'haut ses bras.

Le Majestueux me délivre, sans cesser de braquer nos pandorés. Comme tu l'aurais fait toi-même si tu avais écrit cet ouvrage, nous enfermons les deux archers dans leur cage à poules.

Lorsqu'ils y sont, résignés et silencieux, je soupire :

— Maintenant que tu as liquidé ce gros salaud devant eux, nous n'avons plus la moindre chance de nous en sortir, Gars. Si on quitte ce merveilleux pays un jour, ce sera dans deux petites urnes, à l'état de cendres.

Le Bolide me considère d'un air flétrisseur.

— Et c'mec-là voudrait d'venir mon gendre, il gromuche. Môssieur tourne lavasse, qu'j'ai obligé d'le sortir des noires mouscailles s'lon mes propres syndicats d'initiatives !

Un haussement d'épaules, écrasant d'indicible mépris, couronne sa déclaration.

— Allez, viens qu'on alle voir alieurs l'temps qu'y fait !

Je lui emboîte le pas.

Malgré cet optimisme forcené, je ne me sens guère porté à l'euphorie.

Je ne sais pas ce qu'en pense mon lectorat, mais la situation est si sombre que pour parvenir à l'éclairer, faudrait la transporter dans un studio de télé.

Nous sortons.

Mais où aller ?

Pas le temps de décider.

Comme on franchit le seuil du poste de police, une *Land'Rover* de couleur vert amande freine en trombe.

Les flics attendus ?

Que nenni !

Par contre, Herr Hotik et quatre de ses péones jaillissent, armés jusqu'aux dedans.

L'hasard, quoi !

Qu'ils nous coursaient bolide et nous avisent pile comme on décampait. La malencontre !

Je prends mes jambes à Moscou, tandis que le Gravos défouraille dans le tas.

Mais il ne restait que deux prunes dans la vieille pétoire trémulsante du gendarme ; et je doute que Sa Majesté ait causé beaucoup de dégâts.

On s'élance dans la cocoteraie avoisinante.

Une volée de balles nous gicle dans l'espace vital, sans nous dévitaliser heureusement.

Immpossible de rester à découvert.

— Par ici, Gros !

Je viens d'aviser une sorte d'espèce de hangar. A grand train, j'entre en hangar.

Rabats la lourde prompto, dès que le Mastar m'a eu filoché.

La fermeture est précaire : une simple chevillette, comme chez la Mère-Grand à cette petite salope de Chaperon Red.

Je fais fissa pour inventorier l'endroit. Il contient des instruments à tu sais quoi ? Gricoles. Des instruments agricoles, entre autres desquels une vieille herse triangulaire, plus une charrette démanteloquée.

— Aide-moi, l'Ami !

On dresse la herse contre la porte, les dents face au bois. Et puis on pousse la charrette contre la herse. Un peu dérisoires, nos foutrifications à la hauban. Mais quoi ?

Ils ont cessé de tirer.

A présent, ils vont donner l'assaut.

Je m'approche du fond du hangar et risque un œil entre deux planches. Un mec se tient de faction, la mitraillette prête.

Sur chacun des côtés latéraux idem.

Alors je zyeute sur le devant de la scène opérationnelle. Hotik a conservé le plus athlétique de ses sbires avec soi. Il le conciliabule (car il y a con, s'il y a bulle, comme je te le disais le jour qu'on a visité le Vatican). Le Gros opine. C'est décidé : ils vont conjuguer en commun le verbe enfoncer, en même temps que leurs efforts.

Tu les verrais, ces deux costauds, prendre du recul, se placer de profil, mettre leurs armes en biais.

Un grand spectacle.

Le cher Bérurier observe, tout comme moi, par l'une des abondantes disjonctions de la cloison.

— J'espère que la porte résistera pas, chuchote-t-il, m'a l'air en totale vermoulance, hein ?

Je ne réponds pas, trop accaparé par le suspense.

Mes deux lascars adoptent des masques convulsés par

la volonté et l'énergie. Ils vont filer toute la sauce. C'est bien, moi je trouve, de la part d'Herr Hotik de participer à des besognes somme toute subalternes, non ?

Il paie de sa personne, le post-surréaliste.

A présent, c'est plus Magritte mais Bison buté.

— *Ein, zwei, drei !* égrène-t-il.

Tu ne trouves pas glandu, toi, que le dernier mot prononcé par un homme soit le chiffre trois ?

Les voilà partis à l'assaut, fraternellement unis par leur commune volonté de faire craquer cette pauvre porte archaïque.

Et elle craque.

Le bruit du bois pulvérisé est modeste.

Plus encore celui des deux hommes emplafant la herse.

Ce qui leur nuit, tu vois, c'est de s'être tant tellement arc-boutés, ces deux cloches. De charger, façon taureau — Olé ! —, la tronche en avant.

Ils ne font qu'une épaulée du bois vermoulu. C'est grand dommage pour eux. Car, cet obstacle mineur pulvérisé, les voici qui entrent en contact avec les dents rouillées de la herse ; et alors, c'est pas le même topo. L'un des pics leur pénètre dans l'épaule droite (ils sont droitiers l'un et l'autre, le maître et l'esclave, ce qui est plus moral) ; un autre dans la tempe, et c'est celui-là le plus chiatique pour eux. Tu comprends ? Quand ils rencontrent la vraie résistance, leur tête à un mouvement d'arrière-avant qui leur est fatal.

Le temporal : tous les deux. Saisissant ! Du film d'horreur. Net, impec, presque sans bavure si l'on excepte une giclette de raisin. Ils restent fichés contre la herse ; debout, immobiles. Mais le plus horrifiant c'est qu'ils ne sont pas morts sur le coup ; en tout cas pas Herr Hotik dont le regard agonisant continue de nous défrimer de profil.

— Vous voyez ce que c'est que d'avoir des mouvements d'humeur, cher ami ? lui fais-je, en guise d'oraison pré-funèbre ?

Là-dessus, on se faufile à l'extérieur par la brèche qu'ils viennent de pratiquer, on s'empare discrètement des deux mitraillettes qu'ils ont lâchées et on rerentre, comme dit Béru, afin de compléter le boulot.

— On commence par les deux qui sont sur les côtés, chuchoté-je à Mister Gradube. On va les poivrer, par les interstices. Prends celui de gauche, moi j'opère l'autre. Quand tu seras prêt tu me le diras.

Tout se passe admirablement bien, conformément à mes instructions laïques et obligatoires.

Une double rafale prend de court deux des trois gugus restants qui se mettent à mourir à l'improviste, les pauvres, seulement quoi, ils n'avaient qu'à pas se faire truands, hein ? Y en a qui méritent leurs déboires, franchement.

Ne subsiste que le quatrième, celui qui gardait l'arrière du hangar. Il se pointe aux nouvelles : on lui en donne. Des bien fraîches, bien parisiennes.

Et maintenant, hop ! hop ! Saute à travers le cerceau, mon Tantonio, et toi idem, Béru ! Hop ! Hop ! Caltez vite, mes doux agneaux ! Mes douze apôtres ! Mes dix anses ! Médisance ! Foncez ailleurs, courez plus loin vous y cacher, vous y escamoter. Les périls qui vous guettent sont immenses désormais. Si les autorités (qui font loi) thaïlandaises vous appréhendent vous pourrez tout appréhender. Il vous sera impossible de vous justifier. Tous ces morts ! Cette hécatombe ! Même les coupables ne seront plus là pour, le cas échéant, vous innocenter.

Nous galopons à la chignole.

Y a plein de Jaunets à l'affût dans la cocoteraie (du cul). Alertés par les salves, ils nous observent. Leurs petits regards acérés me picotent la nuque.

On grimpe dans la voiture.

Démarrage en trombe (d'éléphant).

Quatre cent cinquante-six mètres plus loin on croise une voiture de police, toutes sirènes brandies, qui accourt à la rescousse.

— On va pas aller loin, m'assure Béru, le temps que les matuches voyent le tableau et apprennent ce dont il vient d'se passer et y vont déclencher le dispositif number vouane qu'équivaudre, chez eux, à not' plan *or sec.*

C'est bien dit à lui, je dois en convenir.

Mais que faire ?

La route est déserte. Avisant une petite piste dodelinante, je l'enquille brutalement. On cahote sur un chemin plein d'ornières profondes comme la Tranchée des Baïonnettes. J'accélère. Nos tronches embugnent le toit de l'auto.

— Heureus'ment que ma crise d'émeraudes d'la semaine dernière est passée, apprécie mon Bayard.

Les chailles crochetées par la tension, je continue de forcer l'allure. Rien de plus chiatique qu'une plaine quand elle est vide et qu'on veut s'y planquer. Celle-ci n'en finit pas.

Le sol me paraît manquer d'assurance tout à coup. Il devient mou.

J'avise, droit devant nous, des pyramides blanches.

Chiotterie ! Nous nous pointons dans des marais salants. Emporté par mon élan (comme disent les Lapons), je plante la guinde dans un immense quadrilatère recouvert d'une croûte grisâtre qui blanchit au soleil.

— Et v'là l'boulot ! soupire Béru ; à part ça, qu'est-ce tu sais encore faire, av'c un' *Land'Rover,* Mec ?

Je m'extrais de l'habitacle. Le capot de la pompe est vachetement incliné vers le sol, les roues avant s'y trouvant enfoncées jusqu'aux essieux. Pour arracher notre véhicule de cette salière il faudra une grue.

Je visionne les lointains. On a dû parcourir au moins trois bornes depuis la Nationale, et il est impossible de nous apercevoir.

Alentour, c'est le silence prépondérant.

Un grand bruit retentit pourtant, comme si on déclenchait un moulin à légumes dans une crypte. Renseignement pris, c'est le bide du Gros qui gargouille.

— J'te fais remarquer qu'on n'a rien briffé depuis des temps immatériaux, bougonnc l'Enflure. Deux sauterelles pour la journée, c'est pas lerche !

Tandis qu'il s'apitoie sur son ventre, j'inspecte l'arrière de la voiture. J'y déniche une gourde d'alcool et une boîte de bonbons à la menthe.

— A table ! dis-je en divisant les bonbons en deux lots rigoureusement égaux (comme un alter). Clappons ces sucreries, buvons un coup de gnole, ensuite nous dormirons pour attendre la nuit.

— Et après, mon enfant ? ricane Sa Redondance. Hein, et après, dites-moi tout : avec le doigt ou avec le zizi.

Je m'enquille une formide lampée de tord-boyau : alcool de riz à l'arrière-goût de merde. Ce faisant, je dois relever la tête pour biberonner. Ce qui m'induit à apercevoir un véhicule s'acheminant dans notre direction.

— On vient ! dis-je.

Le Gros m'arrache la gourde pour s'allaiter à son tour.

— Eh ben, on n'a qu'à viendre, répond-il.

Et il tapote la mitraillette toujours accrochée à son épaule.

*
**

Il s'agit d'un camion.

Véhicule poussif et déglingué qui ronronne misérablement au dur soleil de la plaine.

D'après ce que je peux distinguer : il y a deux hommes dans la cabine avant, et deux autres, debout sur le plateau vide, qui se cramponnent au toit de la cabine.

Des ouvriers venant travailler aux salines après la sieste, probablement.

Inoffensifs personnages. Je les regarde approcher. Leurs bleus de travail sont encroûtés de sel, de même que leurs casquettes dépenaillées.

Moins truffes que moi, ils stoppent leur camion sur une langue de sol ferme et mettent pied à terre. Ils nous ont vus et se pointent en jacassant.

— Planque ta seringue. Gros, recommandé-je, inutile de leur filer le traczir.

Bon, les quatre z'ouvriers s'annoncent vers nous, lestés d'outils propres à leur besogne.

Ils s'adressent à nous en thaï. Qu'autant pisser dans : un violon, un piano, une contrebasse à cordes, une cithare (pourquoi viens-tu, cithare ?), une mandoline, un banjo et quoi encore ? T'as qu'à ajouter, moi je fatigue.

Aucun d'eux ne parle : anglais, ni allemand, ni français, ni espagnol, ni italien, ni rien qui ressemble à un dialecte convenable, propre à des échanges d'idées, voire seulement à des récriminations ou à de simples injures.

Ils nous désignent la *Land'Rover* en perroquant à qui mieux-mal.

Et je leur mimique la confirmation de ce qu'ils demandent : « Ben oui, on est venu s'embourber dans leur salinguerie. Oh, non, y a pas mèche de nous dessaler à la main, même qu'on s'y collerait les six ; tu penses : une tire de ce poids, enfoncée maintenant jusqu'au bouchon de radiateur ! Bons baisers, à mardi ! Mais avec l'aide de leur camion, faut voir...

Gentils, ils trouvent un filin. Mettent leur *Micmac Diesel* en posture. Le pauvre véhicule, déjà bon pour le Pont-aux-Dames des camions, renâcle. Il patine sur place. Il fume noir. Il tousse, il branliche. Que dalle !

Je fais signe au chauffeur de me laisser sa place au volant. Ce à quoi il consent volontiers.

— Détache le filin, Gros, et saute sur le plateau arrière, on va décarrer ! avertis-je.

Les gentils saliniers se demandent à quoi on veut en venir. Ils pensent qu'on va entreprendre une manœuvre d'un autre genre, ce qui n'est pas tout à fait erroné.

C'est quand ils voient filocher leur vieux taczingue, avec Béru, assis à l'arrière, les jambes pendantes, et qui leur envoie des baisers, que ces pauvres mignons réalisent notre coup d'arnaque.

Ils se mettent à nous galoper au fion.

Ils vont si vite, et le camion si lentement qu'ils nous rattraperaient peut-être si le Mastar n'avait la présence d'esprit de leur montrer sa mitraillette.

Ils stoppent aussitôt et se mettent à discuter, se disant probablement que cette mésaventure ne manque pas de sel.

Rien de plus difficile au monde — à part ce que tu sais — que de faire de la vitesse à l'aide d'un véhicule qui n'avance pas.

Ce camion, tu parles d'une épave ! Il aurait sa place dans les chefs-d'œuvre en péril, espère ! Ne tient sur ses quatre roues que par habitude. Le moteur et le châssis sont brouillés, de même que ce qui subsiste de carrosserie. Les moyeux faussés permettent aux roues d'écrire 8888 dans la poussière des routes. Il fume comme la chatte d'une pétasse trop achalandée, en produisant un bruit de batterie de cuisine lancée dans un escalier. Mais quoi, il roule encore, et c'est l'essentiel.

Je regagne la grand-route. Vire à droite au pif, sans trop savoir où elle va nous conduire ; d'après la position du soleil, l'âge de mes artères et les poils jaillissant par grosses touffes broussailleuses des oreilles de Bérurier, j'estime que nous devons nous digérer vers Bangkok. J'ai voulu dire « diriger », mais la faim m'égare. Et comme je souhaite rallier Bangkok à ma page blanche, il est bon de se dire qu'on est sur la route de Bangkok, je ne sais si je me fais bien comprendre ?

Je continue.

Mais pas longtemps.

Parce que, une fois franchi un village, et comme nous atteignons une intersection de routes, qu'apercevons-nous, effervesçant à ce carrefour ?

Une grouillade de flics coiffés de casques blancs, plus une fourgonnette sommée d'une haute antenne, et des voitures marquées « Police », en occidental d'un côté, en oriental de l'autre.

Que faire ?

T'as l'air con, quand t'es blanc, avec les yeux clairs, grand avec le nez aquilin, dans un pays où tout le monde est petit, jaune, avec le regard mince et noir et le pif plutôt camard. Et en plus d'avoir l'air con, t'en mènes pas large lorsque tu sais que ce déploiement policier a été constitué en ton honneur.

Des véhicules de tout genre sont stoppés en file indienne (bien que nous soyons en Thaïlande).

Le gars Béru renfrogne.

— Tu croyes pas qu'on devrait faire demi-tour ? il murmure.

— Comment veux-tu que j'exécute une telle manœuvre avec cet os, au milieu de la route ? De plus, ça attirera l'attention et on se fera courser.

— Il est pas question qu'on va enfoncer leur barrage ! Un gamin de quatre piges nous rattraperait avec son tricycle !

— Je sais.

Silence. A peine troublé par le pépiement des zizes dans le ciel bleu d'Auvergne et par le court halètement des bagnoles au point mort.

— Faudrait qu'on va descendre, préconise Sa Grandeur ; et ensuite qu'on s'paye un p'tit canter à travers champs.

Je commence par exécuter la première partie de son plan ; à savoir que je déboule de mon siège défoncé.

Mais au lieu d'enfuir, je vais soulever le capot du camion et, mettant une deuxième fois dans la journée ma vessie à contribution, je lancequine sur le moteur. La fumée qui s'en dégage, pour lors, tu croirais celle d'un haut fourneau. Je fais signe aux bagnoles arrêtées derrière moi de me doubler. Elles obtempèrent.

On a l'air d'être en panne, ainsi stoppés sur la route, capot levé, moteur dégorgeant.

Le Mastar qui est venu me rejoindre et qui a compris ma manœuvre approuve.

— D'ac, fait-il, on s'rait chinetoques, on aurait un' chance de s'en tirer. Mais y vont bien nous asperger, d'loin, les roycos. Les blancos sont pas région dans le pays.

Qu'il a pas terminé d'affirmer, cet être de grand bon sens, qu'effectivement, un motard qui ressemble à un champignon av'c son casque, s'annonce jusqu'à notre hauteur, vérifier de quoi il retourne.

Il met un pied par terre et nous interpelle. Nous demande qui nous sommes.

— Tu as ta mitraillette, Gros ? fais-je entre mes ratiches.

— Mais volontiers, répond Bazu Ier.

Il va chercher l'arme sur la banquette (de veau). Revient délibérément en la montrant au policier. Celui-ci porte la main à son étui à revolver.

— Non ! crié-je.

Et, fissa au Mammouth :

— Surtout, ne lui défouraille pas dessus !

— Hé, dis, j'sus pas un assassin, proteste Alexandre-Benoît.

Le reste de l'épisode est vite réglé. Ayant le canon de l'arme sur le baquet, le motard renonce à extirper la sienne.

— Descendez, lui fais-je.

Il cale son bolide avec la béquille et décalifourchonne.

— Détachez votre baudrier et jetez-le, sans toucher au pistolet, dans le champ !

Mais oui, bien sûr. Tout de suite ! Voilà.

— Allez, Gros, en selle pour le deux !

On prend place sur l'engin. D'un coup de talon j'enrage le moteur. D'un autre, Béru envoie dinguer l'ex-cavalier de la moto sur le bas-côté.

Je déboule à fond-la-caisse dans la direction d'où l'on vient.

— Ça, c'est du boulot ! mugit mon pote dans mon oreille.

Au bout d'un instant, il m'annonce :

— Oh, dis, ils régissent vite, les gars. V'là qu'y s'sont lancés à nos chaussettes. Deux aut' motards et un' chignole. Mets la sauce !

Je la mets. Seulement nous sommes quatre hommes sur cette moto (en tenant compte du poids de mon passager) tandis que les autres motards ne sont que la moitié d'un (en tenant compte du leur). Ils nous rattrapent inexorablement. On ne va pas les allonger, tout de même !

Des balles se mettent à siffler à nos portugaises. Je sais combien il est malaisé de défourailler à pleine vitesse, en tenant de sa main libre le guidon d'une Nagasaki, pourtant, le dos de Sa Majesté constitue une cible plantureuse. Ça ne va pas aller loin, ce commerce. D'autant qu'ils nous remontent. Alors ?

Brusquement, profitant d'un abaissement du talus, je me lance à travers champ, sur la droite.

Les poursuivants, surpris, doivent freiner sec pour se reconvertir à notre nouvelle discipline.

J'en profite pour pédaler à outrance.

On aborde une cocoteraie (sur le côté). Je me mets à louvoyer à travers les fûts. Déjà, je sais qu'une bagnole ne peut pas nous pourchasser jusqu'ici.

Et alors, tout soudain, je me trouve en bordure d'un klong. Comme t'as pas plus de mémoire qu'une limace écrasée par un rouleau compresseur, je te rappelle que les klongs, dans ce pays de klongs, ce sont des canaux. Je tente une manœuvre désespérée pour éviter la flotte. Mais nous dérapons. Et tu vas voir : c'est ce qui nous sauvera à quelques paragraphes de là.

On culbute, de conserve (ce qui est rageant, affamés comme nous le sommes). On pique de la tronche dans une masse d'ajoncs garnis de grenouilles tandis que notre moto (si clette que j'ose à peine le dire) plonge dans la flotte et y coule à pic.

Là-dessus, les deux policiers lancés à nos trousses déferlent comme deux tonnerres qui se courraient après. Ils sont tellement survoltés par cette poursuite infernale qu'ils n'ont pas eu le temps de déceler les traces de l'accident. Leurs propres pétarades ne leur permettent pas de comprendre que la nôtre a cessé. Nous, on barbote dans les roseaux, on glaviote des têtards, on se dévase les quinquets, on tousse comme un sanatorium en automne. Tout est paisible, infiniment.

Seuls, subsistent deux nuages bleutés dans ce coin de campagne.

Mon éminent camarade et moi-même reprenons nos esprits. Boueux, gluants, algueux, aqueux, à queue, on ressemble à Montand et Vanel dans le « Sapeur de la Laire ».

On s'entr'examine.

Et on se fend le pébroque au-delà de tout ce que tu peux t'imaginer, et même que je peux imaginer pour toi, moi dont pourtant c'est le métier. On rit de la farce, de nos mines, de la situasse. On rit de la vie. On rit !

Les pétarades des deux bourdilles s'estompent. Une autre naît. Plus mesurée, plus sage.

Et l'on voit déboucher, d'un coude du klong, une aimable vieille Thaïlandaise, habillée de noir, coiffée d'un grand chapeau pointu. Elle tient la barre de son long et étroit canot à moteur pourvu, comme tous ici, d'un arbre d'hélice interminable, de la dimension d'une gaffe. Son embarcation est pleine de choux. C'est sympa, un chou. Y a rien de plus gentil, de moins contrariant. De tous les légumes domestiques il est mon préféré. J'en ai eu dressés à faire la soupe et c'était on ne peut mieux réussi, tellement qu'ils étaient dociles.

— Hep, madame ! lui lancé-je.

Elle nous aperçoit, tout boueux, sanieux, miséreux. La pitié lui vient. Elle met son moulin au ralenti et s'approche de la rive. Moi, je saute à bord de sa pirogue qui manque chavirer. Je tends la main au Gros, lequel me rejoint. On fait alors comprendre à Mme Chouchoux qu'elle doit débarquer, vu qu'on a des projets qui ne la concernent pas. Elle tarde à comprendre. Comme elle s'est montrée compatissante, au lieu de la foutre au jus comme le ferait n'importe qui, je la déborde à terre d'une bourrade. La vioque s'agrippe en couinant. Je lui rafle alors son fichu et son grand chapeau dont le diamètre est celui d'un parapluie anglais en ordre de marche.

— Planque-toi sous les choux, Gros ! t'auras l'air d'une potée.

Personnellement, je m'enveloppe du fichu, coiffe le chapeau en le rabattant sur le devant. Puis je m'assois en tailleur à l'arrière de la gondole avant de remettre les gaz.

⁂

C'est idyllique.

Tu verrais ces rives bordées d'arbres pleureurs, de fleurs vives, de petites guitounes peinturlurées érigées à Bouddha, avec dedans des lumières tremblotantes ! Un enchantement. Dans un sens, c'est chouette comme à Venise-la-folle. T'aimerais prélasser une gonzesse dans tes bras et lui chuchoter le programme de ce que tu vas lui bricoler en rentrant ; tout bien : avec les doigts, la bouche, le Calor convertible (110-220) et l'amie Zézette, toujours hardie, drue et pimpante.

Me faut un brin de moment pour me familiariser avec la manœuvre de cette embarcation à la con. C'est pas de la nougatine ! Je commets maintes maladresses.

J'arrive pas à piger le pourquoi, sur des canaux tellement étroits, ils naviguent à bord de si longues barcasses, prolongées encore par un arbre d'hélice d'au moins trois mètres ! Non, je te jure. Les coutumes, tu te demandes à quoi elles correspondent, souvent, tellement elles paraissent aberrantes. Ce qui leur a pris, les gonziers d'ici ou là-bas, d'inventer des machins malcommodes, saugrenus, tout ça. Qui semblent leur compliquer la vie au lieu de la leur simplifier, moi je dis. Certes, y a eu des trouvailles formelles, incontestées : la brouette, la capote anglaise, la pénicilline et le godemiché (*thank you, my God*) par exemple. Mais si beaucoup d'autres inutiles, comme je te prends la Tour Eiffel, l'impôt sur le revenu, le bridge, le steak tartare, dont la vue me fait gerber comme un feu d'artifice, et à propos, tiens, ça aussi : le feu d'artifice. Quoi de plus con ? Parfois, il m'en part sous le nez, par les nuits d'été, et je regarde ailleurs, pour mon esthétisme intime. Je me dis à chaque fois que ça me servira de comparaison, que j'écrirai dorénavant, dans mes polars : « Con comme un feu d'artifice ». Parce que franchement, c'est con. Et c'est fait pour les cons, la pyrotechnie. Les obliger à lever la tête. « Oh ! la belle bleue ! » Merde, ils chient pas la honte, ces courges ! Le grand soleil, la chandelle romaine ! Dans le cul, je la leur voudrais fiche, la chandelle romaine ! Qu'ils deviennent feu d'artifesse, ces badauds badants. Du spectacle pour cocus, ça, le feu d'artifisc. Qu'on te pelote ta nière tandis que tu torticoles à mater les embrasements superbes dans les nues qui s'en branlent ; des loustics lui filent la main au réchaud, cette chérie. Lui fourmillent le frifri, grand nœud, pendant que t'extasies, mon drôlet. Pauvre glandu, va ! Je voudrais qu'on te la mise en levrette à côté de toi, ta Madame bergère. Qu'on lui en pousse un majestueux commak dans la huche à pains, alors que t'es là à exhaler des « Hé », des « Aaaah », des « Ooooh » longs comme des orgasmes, Pénajouir !

J'essaic tout de même de me familiariser avec le canot. Béru n'a pas totalement suivi mon conseil, au lieu de se cacher sous les choux (t'as vu comme je leur fous bien un « x » au pluriel, à ceux-là ?) il les bouffe.

Les croque voracement, herbivore accidentel, nécessité fait loi au lieu de lard. Tant pis.

Brusquement, à un virage du canal, on découvre l'un de ces fameux marchés flottants qui font si bien sur les catalogues touristiques. La Thaïlande et ses marchés flottants, tu sais ? Faut dire que c'est coloré, pittoresque, pitoré, clitoresque, grouillandus.

Là, le klong s'élargit. Une vaste halle de bambou est plantée sur l'une des rives. Un pont en dos de bossu enjambe le klong. Sur le plan d'eau, un fourmillement d'embarcations, bord à bord (comme à Bora Bora). Dans chacune d'elles, une femme avec sa marchandise à vendre : là, il s'agit de légumes, là de viandes répugnantes, là encore de céréales, plus loin, de volailles, ou encore de fruits. Certaines proposent du café, tandis que leurs voisines vendent de l'huile de noix de coco.

La halle est consacrée à des articles de bazar. C'est plus huppé. On y trouve toutes sortes de choses évasives qui excitent la convoitise des touristes, toujours soucieux de ramener d'imbéciles trophées dont les critères dominants sont l'inutilité et le mauvais goût.

En découvrant cette foule jacassante, bigarrée (dans toutes les descriptions de foule, tu dois placer le mot bigarré, sinon t'es pas un vrai écrivain), une furieuse envie de faire demi-tour me biche. D'autant plus — faut que je te fasse rigoler — qu'il y a, sur l'arc du pont, nos motards réduits aux aguets.

Boudiou, ma tante Louise ! Quel vilain temps ! Pas mèche de retourner ! Mais comment font-ils, les gens d'ici, pour rentrer chez eux ? Leurs barlus sont plus longs que ne sont larges les voies canales. Tu crois qu'ils traversent la mer de Chine, puis le Pacifique, empruntent le canal de Panama, se paient l'Atlantique, passent par le cap de Bonne Espérance, pour remonter jusqu'au golfe du Bengale ? Oui, je vois pas d'autres moyens...

Bien entendu, les deux motards nous retapissent d'emblée. Ils sont viceloques, ces petits mecs ! Le regard à peine visible, mais voyant tout ! Ils déculent de leurs péteuses, sortent leurs pistolets. Moi, je fais ni une, ni deux : toute la gomme ! Le barlu fonce dans le marché flottant comme un camion sans freins chez un marchand de vaisselle. Ce carambolage, mon gamin ! Ça glapit de partout ! C'est la confuse noire ! La colique jaune ! La fièvre quarte ! Les barcasses télescopées chavirent avec leurs marchandes, et leur pauvre chargement. Les légumes se mettent à flotter sur l'eau verte. Les chapeaux de paille aussi ! Les canards ravis de l'aubaine s'escriment avec leurs patounes ligotées.

Dans ce tumulte, ce tohu-bohu, les flics ne peuvent pas tirer. Béru a cessé de bouffer pour nous frayer (nous effrayer plutôt) un passage dans le marché. Il écarte des barlus, cogne sur les mains des marchandes immergées qui essaient de s'agripper à notre canot (leur méthode d'agrippage (d'Aubignage) s'appelle « l'agrippe asiatique »). Il y va de la voix, s'ajoute à la cacophonie ambiante, Master Béru. Son organe généreux domine le brouhaha.

Bon, on parvient, vaille que vaille, à se dégager. Je fonce. Une fourche se propose : deux chemins d'eau. J'opte pour celui qui paraît se glisser dans la luxuriance d'une végétation semi-aquatique.

Des roseaux de cinq mètres soixante-six ! Des palétuviers ! Des palcts, des laitues, des éviers ! comme chantait la mère Carton. Des arbres pleureurs, mais alors : inconsolables !

Je bombe à tout-va. Les motards ne peuvent pas nous filocher, étant donné l'embroussaillement des rivages.

Tout à coup, j'avise une immense propriété close de grillages, un peu comme chez feu Herr Hotik. J'espère qu'il ne s'agit pas d'une nouvelle réserve de chasse ? Parce que, figure-toi que je viens de jeter mon dévolu sur cet endroit.

Une idée, comme ça...

J'accoste.

Ensuite de quoi, j'attache la barre du gouvernail de manière à la maintenir bien droite, puis je règle le moteur au ralenti et j'enclenche la marche avant.

Saute à terre sur les talons du Gravos.

Il a obéi sans mot dire ni maudire.

Je suis des yeux la barcasse qui part toute seule vers l'horizon, sur le klong rectiligne et désert.

Qu'elle s'en aille le plus loin possible !

Dans les circonstances périlleuses, il faut savoir vivre l'instant. A la minute la minute... Pas trop se préoccuper du futur.

D'ailleurs, le futur c'est quoi ? Du présent qui se précipite à ta rencontre, non ?

Alors, vis le présent, mon fieu ! Et vis-le bien !

Bérurier me fait la longue échelle pour que je puisse escalader le grillage.

Il essaie ensuite de le gravir tout seul. N'y parvient pas, ce qui m'oblige à user d'astuces. Elles sont simples. Je te donne la recette.

Pour deux personnes : prendre deux gros bâtons. En engager un à environ un mètre vingt du sol par une maille du grillage et le maintenir en se plaçant à califourchon sur l'extrémité demeurée dans l'enclos (prendre bien soin de placer ses testicules en biais pour ne les point meurtrir irréparablement).

Engager le second bâton à un mètre du premier et le tenir fermement de ses deux mains brandies. Conseiller à la personne de pratiquer l'escalade en se servant des deux échelons en question. Tenir bon. Servir avec un zest d'encouragement en cours d'exécution. Merci, tante Laure !

Et voilà le Gravos auprès de moi.

Des flonflons de musique guident nos pas.

Elle nous attire comme une bitte d'amarrage attire un homosexuel fatigué.

On traverse une roseraie admirable, pleine de roses, du temps qu'elle y est. Et pourquoi se gênerait-elle ?

La musique devient stridente. De quoi te faire regretter de posséder deux oreilles, avec tympans, pavillons (de grande banlieue) et toutim.

Ayant dépassé la roseraie, nous découvrons une vaste étendue hétérochose, plantée d'arbres, avec des constructions de style extrêmoriental : certaines petites, mais une très grande et d'où s'échappe la zizique mentionnée plus haut. On s'en approche. Il s'agit d'une espèce de cirque. Il est bondé de touristes internationaux : des blonds, des bruns, des blancs, des noirs, des Japonais naturellement, reconnaissables (d'Olonne) à leurs bouilles qui ressemblent à des plats d'offrande en cuivre et aux seize appareils photos dont chacun est habillé, plus le matériel complet : zoom, trépied, cellule, pétafineur de longue durée, grand angulaire, grand ongulé, grand enculé, tout, le reste, encore, beaucoup ! Qu'y faut une force air cul les haines pour trimbaler ce bigntz de partout, en tout lieu, quatorze heures par jour, y compris les jours fériés ; merde ; cette marotte de sous-nœuds : vouloir foutre la vie en conserve. La découper en images, putain de Dieu, mais à quoi cela correspond donc t-il dans leurs esprits avortés ?

Moi, à force de virguler des giclettes d'adrénaline, je vais me déglinguer le battant, je t'annonce. Prendre des rognes à propos de l'universelle sottise, tu y laisses ta santé.

Donc, dans ce cirque fixe, ce cirque thaïlandais, le spectacle bat tu sais quoi ? Son plein ! En ce moment, il y a des danseuses, avec des faux ongles de cinquante centimètres de long. Elles trémoussent lentement du vase, les bras croisés sur leurs menues poitrines, faisant gaffe de ne pas chavirer leurs coiffures pyramidales. Elles nous paraissent se ressembler toutes, car toutes ont le même sourire de porcelaine peinte.

Nous nous faufilons parmi les spectateurs. S'engouffrer dans la foule, s'y fondre, est encore la meilleure façon de passer inaperçus. D'autant que là, les Blancs sont presque en quantité supérieure aux Jaunes.

On se glisse dans le public, et on s'intéresse au déroulement du spectacle.

Very passionnant.

Le Mammouth est fasciné par les mignonnettes trémousseuses.

— Dis donc, il me chuchote, avec des pelles-à-feu pareilles (1), j'voudrais pas qu'ces jouvenceuses m'fissent un'pogne ! Y aurait d'quoi t'arracher la peau des sœurs Brontées.

Après les danses thaïlandaises, nous avons droit à un combat de coqs. Spectacle d'une forte sauvagerie, bien plus intense qu'une corrida, selon moi ; et c'est le coq aux plumes foncées qui gagne. Ensuite, se produit la dompteuse de crocodiles.

Du jamais vu !

Magine-toi une bonne femme haute d'un mètre cinquante, et qui pèserait cent trente kilogrammes. Une boule à membres, avec une autre boule un peu moins grosse pour figurer la tronche. Ses biscotos font quatre-vingt-dix centimètres de tour de taille (c'est précisé dans le programme). Quand tu l'aperçois, d'autor tes ratiches font les castagnettes. Ses paupières bombées surplombent et dissimulent la double fente de son regard.

Elle porte un maillot-studio (d'une pièce) en peau de léopard tissée-main.

Des garçons de piste amènent un immense bac contenant deux crocodiles qui ne tiendraient pas dans le plumard du général De Gaulle.

(1) Des ongles, dans la dialectique béruréenne.

La dame que je t'ai causée les rejoint dans le bac. Elle se penche et saisit l'un de ces gracieux animaux comme des haltères. A l'arrachée qu'elle le soulève.

— Tu parles d'un sac à main qu'ça lui fait, admire l'Gravos.

Ayant soulevé le croco, lequel bat de la queue et fait marcher son clap, la fascinante créature le jette à ses pieds comme un tas de linge sale et fait joujou avec le second animal. Le plus mahousse. Un bœuf ! Elle lance un cri de trident, comme dit Bérurier, et le crocoduche ouvre une gueule immense. L'intérieur, ben mon pote, c'est pas ragoûtant. Une membrane blanchâtre-orangée, comme l'intérieur d'une peau d'orange pelée de près. Ça fait un peu cosmique, science-fiction. Te cause plus que du dégoût : de l'effroi. La femme obèse s'agenouille (aux œufs frais), engage sa tronche entre les formidables mâchoires du reptile. L'aimable bête ne bronche pas. Ensuite elle fait du ski pédestre avec ses pensionnaires, posant un pied sur chacun deux et leur intimant d'avancer, ce à quoi ils consentent.

— Cette personne possède un'entr'jambe comme je les raffole, me confie l'Admirable. On d'vine qu'elle a une moule à ventouses ; ces p'tits sujets, ça t'gobe le polak pour ainsi dire. Tu rent'dedans comme dans un moulin, au trot angliche...

Brave Béru ! Son visage irradie (rose) le désir. Il salive.

Après la dame aux sauriens, c'est un combat de boxe thaïlandaise. Va surtout pas te figurer que je te raconte le spectacle pour tirer à la ligne. Au contraire, compte tenu de tout ce qui me reste à te bonnir, faudrait que je gazasse, mon lapin. C'est loin d'être terminé, cette historiette. Si tu savais où je vais te mener tout à l'heure, Carcasse, tu tremblerais bien plus encore ! Le père Turenne en bédolerait dans ses frusques. Et je suis limité en papelard, mézigue, je te l'ai déjà expliqué dans des œuvres anthumes. Deux cent-vingt-quatre pages, et démerde-toi Nestor ! Bourre ! Tasse bien, que ça rentre tout ! Ecris petit. Biffe ! Pourquoi m'assois-je sur ma littérature, tu le sais ? C'est uniquement pour la compresser. Faut que ça y aille entièrement. Rebondissements, pas rebondissements ; descriptions poussées, épisodes à ramifications, personnages qui s'imposent ou pas. Ils s'en torchonnent le rectum, à la Fabrication. Calibrage, mon pote ! Nécessité absolue. Dans ma carrière, ce qui leur importe, c'est pas le Prix Nobel, mais le prix de revient. Les prix littéraires, c'est pour ceux qui vendent pas. Les tirages sur japon impérial aussi. Mézig-pâteux, on peut pas se permettre de fignoler. Grosse cavalerie ! Calibrage et empaquetage sont les deux mamelles de ma maison-nourricière. J'écris à la machine, on me vend à la machine, on me lit à la machine. La machinalité de mon œuvre, c'est ce qui frappe aux dix premiers abords. Je suis machiné de fond en comble, tu sais ? J'aurais dû signer Machin, si j'avais pu prévoir que je recevrais des chèques au lieu de lauriers. On ne me fait pas de compliments, mais des virements. J'y ai pris habitude. Y a pire. Cette bougression pour te dire que si je te narre le spectacle de ce centre attractif, c'est qu'il était professionnellement indispensable d'en passer par là. Tu vas le constater, sans contester, en vrai contesté que tu es.

Donc, un combat de boxe succède.

Tu as probablement assisté à ce genre de fantaisie soit à la téloche soit au cinématographe, non ?

Ces matchs sont à la boxe occidentale ce que ce livre est au « Soulier de Sapin » de Jérôme Claudel.

Les deux boxeurs se pointent. Bon, très bien. En

culotte classique. Ils sont pieds nus, et leurs nougats, crois-moi, n'ont jamais connu les produits Palmolive. Ces fiers combattants ont le front ceint d'une couronne d'étoffe à l'arrière de quoi se dresse un toupet de plumes.

Avant de grimper sur le ring, ils se prosternent dans la poussière. Et puis, ils escaladent les marches. Une fois entre les cordes, voilà ces pauvres gamins qui se livrent à toute une pantomime. Se mettent à genoux et prient à en perdre la foi, le foie et le gésier. Puis ils se lèvent et entreprennent, chacun pour soi, une danse bizarre, que scande un orchestre très syncopé. D'ailleurs, l'orchestre ne cessera pas pendant le combat. Le rythme t'use les nerfs. Les deux tagonistes se saluent, une fois achevées leurs ablutions spirituelles ; l'arbitre prie un petit coup avec eux, manière d'unissonner, ensuite les boxeurs ôtent leurs couronnes et, gong ! le combat commence. Alors, là, tu te fends la pipe. Les pinceaux fonctionnent plus que les poings, comme dans la boxe française. Quand ils rompent les corps à corps, ils se paient un petit pas de danse avant de repartir à l'assaut.

Très joyce. Mais vite fatigant à contempler. Monotone, quoi. Surtout avec cette musique de mes deux qui te mouline le système.

Cette lenteur, ce rituel agacent le Gravos.

Quand il y a un échange avec les panards, il se dresse et vocifère :

— La châtaigne ! A la châtaigne, bande de manchots !

Un coup de saton mieux administré (ou mieux reçu) que les précédents fait tituber le plus petit. Sa Majesté s'arrache de notre travée pour aller « manager » le possible vainqueur.

— Finis-le, fainéant ! lui lance-t-il. Vas-y de la cacahuète, boug' de con ! Mais profite d'ton avantage, fesse d'rat ! Tu voyes pas qu'il est rinçaga, ton mec ! Tu souffl' dessus, et y s'allonge ! Nom d'Bouddha, t'vas m'le finir, moui ! Un taquet au bouc et y va à dame ! Allez, cogne, bordel ! Cogne donc, c'est pas ton père !

Mais l'autre ne suit pas les directives du Gros, pour judicieuses qu'elles puissent être, ce pour plusieurs raisons dont la première me fera l'économie des suivantes : il ne comprend pas ce que Béru lui dit.

Le gars qui était touché récupère, file son talon d'Achille dans le burlingue de l'autre. Nouvelle danse, au bout de laquelle l'arbitre déclare vainqueur le petitout qui fut ébranlé. La salle hurle.

Ne se tenant plus, mon ami survolté, oublieux de toute prudence, escalade les marches du ring et, sans que oncques n'ait pu prévoir son geste, place un crochet au menton de l'arbitre, lequel fait un bond arrière d'un mètre et s'aligne dans la résine, les bras en croix, malgré qu'il soit foncièrement bouddhiste.

Les touristes présents, croyant à un intermerde, applaudissent à tu sais quoi ? Tout rompre. Le Gravos lève les bras du triomphe. Mais à partir de cet instant, tout se gâte. Figure-toi que les satanés motards qui nous filochent pénètrent dans la salle. En voilà deux qui ne volent pas leur solde ! C'est du ruban adhésif, ces gonzes-bonzes ! Tu parles d'acharnés, toi : alors, à pied, à moto, à cheval et à dos d'éléphant, ils nous coursent. Jusqu'en Patagonie, ils nous suivraient ! Mais que leur avons-nous fait personnellement ? Y a une prime au bout ? Oui, hein ? Sûrement. L'appât du gain, je vois que. Ou alors la promotion, ce qui, dans le fond, revient au même.

Il a l'air finaud, Bérurier, sur le ringe, avec les deux petits boxifs ahuris et l'arbitre k.o. à ses pieds ! Ah, l'Enflure ! Inconscient dans ses élans. Spontané jusqu'à la témérité. Il pavoise, brinde à la foule. Je crois même, dans le brouhachose, l'entendre péter d'allégresse. Oui : il louffe de satisfaction souveraine, le Chérubin.

Et les deux motards l'aperçoivent et s'empressent.

Que force m'est d'invernir aussi.

De la manière suivante : deux points à la ligne.

Je m'annonce en voltige au pied du praticable. Je cloque une manchette à la nuque du second poulardin. Ça lui fait un effet bœuf. Il tombe, le nez sur les marches.

Le premier a dégainé et menace Béru par-dessus les cordes. Je le cramponne par une cheville et l'arrache. Il se télescope la gogne contre l'estrade, houla houlalala.

— Taillons la route ! crié-je à mon pote.

Ce qu'il y a de bon, avec LE public, c'est qu'il accepte argent comptant ce qu'on lui propose. Il croit toujours, LE public, à l'infaillibilité du programme. Sur scène, un acteur peut réciter une fable de La Fontaine en pleine tirade du Cid (U.N.A.T.I.) ou bien les stances à Sophie, se déculotter, déféquer dans le piano ou autre, il continue d'applaudir, LE public. Bravo, bonno ! Encore !

Là, pas un instant il ne doute que c'est du textuel, *very serious*. Non : il acclame. Viva ! Bien réussi, supergags ! Encore ! *Again ! Again !*

On disparaît sous les ovations.

On furque, on bifurque. Et puis on aperçoit un car de police. On rebrousse, on débrousse. Faut se garer des taches. Vite, vitissimo !

— Par ici ! me crie le Mastar.

Il vient d'apercevoir la montreuse de crocodiles, assise sur le pas de la porte d'une roulotte automobile, plus plantureuse que jamais dans un peignoir de soie à ramages, à marrage et à amarrage.

Mon pote se présente à la personne :

— *Good* après-midi, *my bioutifoule Mistress !* il lui gazouille. *You* permette-me qu'j'déballe mes outils ?

Il entre.

Moi pareil.

— Refermons la porte, à cause des mouches, dit-il.

L'obèse pue le rance, le musc, le parfum d'épicerie de campagne. Notre intrusion la déconcerte.

Le gars Béru me désigne, puis se montre, poitrine bombée, se la martelant du poing.

— *Voui are des touristes, ma pretty ! Your numérous is very superbus. Canne you me brin'quer un orthographe for my collection ?*

Chose impétueuse (je voulais écrire impensable, et puis le mot impétueux m'est venu, alors j'ai respecté ce jaillissement) : la chère femme comprend la requête du Mammouth.

Elle prend un bloc de correspondance, une pointe chinetoque (y a pas de bic en Extrêmorient) et se met à tracer : une petite pagode, un tréteau, un épouvantail stylisé, une bannière de procession, un panneau signalant du verglas sur la route, des virgules de chiottes publiques, un hippocampe, une autre pagode un peu plus confortable que la première, un poste de télé surmonté de son antenne, une tente coiffée d'un drapeau, un vélo sans roues, une baguette de sourcier, une braguette de sorcier, une plaquette de saucier et le signe pi.

Avec un beau sourire pareil à une raie du cul à l'horizontale, elle tend ce texte au Gros.

— Cinq sous véru moche, remercie mon faire-valoir. Je vérifille pas s'il y aurait des fautes, mon trognon.

Il s'approche du sujet et le prend dans ses bras. La femme est tellement surprise qu'elle parvient à soulever tour à tour ses sourcils et ses paupières. Un bref instant nous avons le privilège de voir ses yeux qui ressemblent à deux noyaux d'olives noires dans un compotier empli de crème vanille.

— Tu sais qu't'es plutôt mon genre, mon trognon? susurre le Câlin.

Ses mains s'égarent. Il les répartit sur tout le pourtour de la dompteuse de sac Hermès. J'en vois une sur la croupe, une autre au balcon, une troisième entre les cuisses, une quatrième dans le cou...

— J'm'en ressens pour toi, ma gosse, poursuit le Mastar. Sana, soye gentlemant, mon gars, détourne-toi, pas l'intimider ; ell' est p't'être encore jeune fille, cette vachasse, après tout. Faut pacifier les appâts rances.

Afin de lui donner satisfaction, je vais m'embusquer au petit fenestron de la roulotte.

Une opération de grande envergure se développe sous mes yeux. Les bagnoles de police ne cessent d'arriver et prennent position au centre du parc d'attractions (avant).

Les poulets fourmillent, maintenant. Par escouades, ils se mettent à explorer les environs, les abords, les pourtours, les parages. Quand ils vont passer aux détails, on risque d'être coincés dans la pagode roulante à miss Croco.

Heureusement, Bérurier est en train de la gagner à notre cause.

Il souffle, il s'évertue...

Il fait si bien qu'il déracine, celui de qui la tête au ciel était voisine...

Tant qu'à le voir triquer avec un tel visage... Elle a poussé un cri, la montreuse, lorsque lui-même s'est mué en montreur, pour lui montrer, non pas un saurien, un reptile, ou un aurochs adulte, mais l'éléments clé de sa virilité.

Oui : un grand cri pareil à un Stuka de la Dernière fonçant en piqué sur les troupes anglo-franco-anglaises (1) pliant bagages à Dunkerque.

Elle tombe à genoux dans sa roulotte, faisant tanguer celle-ci. Le Mastar croit que c'est pour une bonne manière, en fait c'est pour une action de grasse. La montreuse qui appartient à la secte des Jak Chi-Brak vénère le paf. D'ailleurs, il existe une statuette de phallus sur une espèce de sorte d'autel aménagé dans un coin de sa maison roulante. Des petites ampoules multicolores lui composent un arc de lumière et, partant, de triomphe.

(1) Je dis anglo-franco-anglaises vu que les Anglais se tiraient les premiers.

Le chibre en question est en bois de goumier. Il est de la taille de mon poignet, à peu près, avec une jolie tête pimpante qui semble coiffée d'un casque helvétique.

Mais c'est de la gnognotte de sansonnet en comparaison de celui de Sa Majesté. Aussi, la dame aux crocodiles plonge-t-elle recta en semi-catalepsie en découvrant ce que Mister Bigzob vient de lui déballer de son bénouze.

Elle se prosterne en marmonnant des litanies du Docteur Gustin. Et puis risque deux doigts du milieu de la main, ceux dont le sens tactile est le moins développé, par respect pour la chose ainsi proposée. Se reprosterne, et récite à fond de train une série d'oraisons (dont elle a l'âge).

Ces démonstrations ne font pas l'affaire du Dodu, lequel aspire à un épanchement franc et massif. Magnanime, il oblige le petit sujet à se relever, lui désigne son lit-grabat. Enfin, avec une belle autorité de mâle habitué à être comblé, il ouvre à doubles battants les portes de la félicité. Las, pour énorme qu'elle soit, la chère personne n'en n'est pas moins étroite du centre d'hébergement. Comme précédemment, il ne reste plus à Béru qu'à trouver un torchon pour essuyer son échec. Mais sa tentative généreuse a porté le comble aux transports spirituels de Madame. Elle se remet à genoux, invoque, psalmodie, titube du verbe et du regard, flatte de la main onctueuse, récite, propose une indicible ferveur.

Bérurier soupire :

— Bon, pisque t'es pas apte à limer, donne-nous au moins à bouffer, ma gosse !

Il traduit en anglais, puis en gesticulant moderne. La poupée gonflable nous déballe alors des nourritures équivoques, très féculentes, qui malodorent selon moi, mais sur lesquelles néanmoins nous nous jetons car nous sommes à la limite de l'épuisement.

Elle nous prend pour des messagers du dieu Chibrak descendus sur la terre. Se répand en vivats rectaux, à la mode de Kan : trois pets brefs, un pet long.

Aussi profitons-nous de ce qu'elle est à notre entière dévotion pour lui enjoindre de nous cacher et d'affirmer qu'elle ne nous a pas vus, lorsqu'une escouade de bourdilles vient s'informer de nous.

Et, peu après, ne fait-elle aucun chichi pour se coller au volant de son circus-car et nous driver jusqu'à Bangkok, distante — selon ses dires — d'une soixantaine de kilomètres.

*
**

Plusieurs barrages sur les routes.

Chaque fois, la grosse Doudoune les franchit sans même avoir à parlementer. Les poulardins, en apercevant cette baleine au volant, n'ont pas le moindre soupçon. Elle doit être connue, la mère. Y a des machins écrits sur les flancs de son véhicule, et ça doit expliquer comme quoi elle est miss Bibendum, dresseuse de crocodiles célèbre.

Placardés sous le lit, on laisse flotter les rubans.

— Et une fois qu'on s'ra à Bankroche, caisse on f'ra ? demande le Prodigieux.

Il n'est pas inquiet le moindre. Simplement curieux. Curieux de notre emploi du temps ; curieux aussi des astuces que je vais lui proposer pour tenter de sortir de l'impasse.

Sa question n'éveille rien de précis en moi, sinon un confus sentiment d'angoisse. J'ai dit Bangkok à cause de l'aéroport, mais je ferais peut-être mieux d'essayer de franchir la frontière birmane ? Ou bien celle de la Malaisie (bismurée). Bangkok, ça nous avancera à quoi ? Descendre où ? Chez qui ?

En dehors des flics et de Chakri Spân, je ne connais personne. Sauf...

Mais oui ! C'est bien sûr : il y a la petite Tieng Prang Monpô qui m'a faussé compagnie si cavalièrement. Je peux essayer d'avoir son adresse, par le journal qui l'emploie. Seulement, Chakri Spân l'a-t-il laissée en vie, voire simplement en liberté ? Et, si yes, consentirait-elle à se mouiller pour nous, elle qui mouillait si peu pour moi ?

Il fait nuit à présent. On pénètre dans les interminables et minables faubourgs de la capitale. Je crois reconnaître un pont à forte circulation. Puis une place où, curieusement, se dresse une gigantesque balançoire très haute, très formidable, et qui a causé la mort de plusieurs téméraires, paraît-il. Se balancer à vingt-cinq mètres du sol, faut pas craindre le vertige !

Non, décidément, la môme Tieng c'est pas du solide. En admettant que nous la dénichions, elle nous livrerait au marchand de cercueils.

La femme-canon s'adresse à moi. Monosyllabique de naissance.

— *Where ?*

« Où ? »

Son laconisme ajoute à mon indécision.

— Hôtel *Oriental !* m'entends-je lui répondre.

— Non, mais t'es louf ! sursaute le Gros.

C'est tout. Ses protestations se limitent à cela.

Bien sûr que je suis louf ! Où serait le charme, sinon ? Louf congénitalement. Louf par vocation profonde.

Elle manœuvre son gros véhicule à la noix par les

artères délirantes qui cacophonent à t'en arracher les trompes d'Eustache.

Et bientôt on trouve la rue qui mène à l'*Oriental*. Rue paisible au demeurant, si on la compare aux autres.

— Stop !

La gosse chérie s'arrête. Je visionne le secteur par les vitres de la roulotte. Tout est en ordre, calme, banal.

— Merci, poupée !

Le Mastar lui file une mignonne palucherie sur les roberts. Aimable, il se ramasse les bas morcifs à travers l'étoffe de son futal pour en constituer un chouette pacsif dont l'importance est éloquente. La mastodonte joint ses deux mains, bien à plat, les élève au niveau de son pif et récite la prière à Chibrak. Le Gros, magnanime, lui guérit les écrouelles, la glande thyroïde et le grand zygomatique en la laissant palper sa bite une dernière fois.

La miraculée remercie. Elle aurait de vrais yeux, il est probable qu'elle pleurerait ; mais ne possédant, en guise de regard, que deux boursouflures incisées, la gentille femme, dont nous aurons ignoré le nom d'un bout à l'autre de nos relations, reste sèche.

***

La chaleur est étouffante. Des rumeurs nous arrivent du fleuve, et d'autres du centre-ville. L'hôtel *Oriental* dresse sa masse illuminée dans le ciel de crèche. Sa première partie, plus basse, l'ancienne, la coloniale, là que descendit Somerset Maugham, paraît se réfugier au pied du nouveau bloc rutilant. Des employés vêtus de blanc s'affairent devant l'entrée. C'est la ronde des voitures, la gourme du chef portier, les petits gars derrière le comptoir volant d'où ils dispatchent les taxis...

Tout à coup, il fait bon vivre et je me sens comme rasséréné, inexplicablement. A croire que tout danger est écarté de nos chères belles têtes et que nous sommes ici en touristes innocents, seulement soucieux de découvrir le maximum de folklore dans un minimum de temps…

Bérurier est là, comme s'il se tenait devant un bistrot de la rue du Chemin-Vert, mains aux poches, le sourire en coin (bien que son visage n'en comporte pas), plutôt goguenard. Comme il me sait bien, cet homme ! Il a deviné que je nous suis fait lâcher ici comme ça, sans idée préconçue, d'instinct, quoi !

Et comme il a aveuglément confiance en moi, il attend que cet instinct m'éclaire. Mais la brume est longuasse à se lever et c'est mon indécision qui l'amuse.

— Ça vient, moui ? il finit par questionner.

Je respire un grand coup pour m'oxygéner les méninges ; en chasser les miasmes. Tout cela s'est passé si vite. Il y a eu tant et tant d'événements dramatiques à la suite. J'en suis encore tout étourdi, mézigue. Manon !

— Oui, oui, ça vient.

Je tourne les talons.

— Arrive !

Il me suit. Il m'essuie. Ile, messe, suie. Il m'est *sweet*. Pas loin, car j'enquille l'allée conduisant à l'appartement de miss Suzy Wrong.

Je savais bien que mon instinct avait une idée de derrière la tête.

***

Le gong vibre, ouaté, dans un silence mesuré. Il se passe du temps.

Je remarque alors un écriteau discret, accroché à côté

de la lourde. Y a du thaïlandais écrit dessus, mais ça n'a pas d'importance, vu que la traduction britannique existe juste en dessous :

« *La maison est provisoirement fermée pour cause de réfections.* »

Repairs, ça signifie bien réfection, non ?

Je tords le blair.

— On l'a dans le Laos ! je soupire.

— Biscotte ?

— C'est fermaga.

— Eh bien tant mieux, riposte l'Infâmure.

— Expliquez-vous, baron ?

— En somme, on cherche quoi t'est-ce, dans l'immédiat ? Un coinc'teau où s'planquer la viande, non ? Ben, en v'là t'un, libre à la vente. T'as ton p'tit outil, Mec ?

Sa phrase n'est pas achevée que je brandis déjà mon sésame légendaire.

L'introduis dans la serrure.

L'appartement est coquet.

Je ne connaissais que la partie « travail ».

Le coin privé, à savoir une sorte d'aimable studio-cuisine séparé du reste par un bout de vestibule, est encore plus accueillant.

Follement intime, même. C'est son mignon repaire, à la belle Suzy. L'endroit où elle fait relâche, ses dures journées finies. Une fois l'ognon briqué, la bouche rincée, elle passe une robe de chambre et se blottit dans le studio, lequel est copieusement pourvu en bimbeloteries, pomponnettes, coussins, lampions, statuettes, tout ça, bien, parfait, oriental, sentant des parfums dégueulasses pour nos narines nationales, avec un Bouddha assis dans le fond, un canapé bas, des poupées d'étoffe à frime asiatique, des théières, des boîtes laquées, des froufrous, des naninanères en tout genre, et puis des photos de famille : papa, maman, le grand frère, la petite sœur, sous des palétuviers roses, sur des pousse-pousse, à vélo, charmants, rieurs.

Mais ce qui gâte le tout, c'est le cadavre à Suzy. Alors là, crois-moi, ça détruit l'harmonie. Oh ! que oui.

Il eût mieux valu pour la pauvrette qu'elle demeurât à l'hosto où l'expédia le terrible membre béruréen. Hélas, elle n'y fit qu'un bref séjour, le temps qu'on lui colmatât les déchirures provoquées par sa hardie tentative, chère fille courageuse, assoiffée de bien faire. Espèce de Jehanne d'Arc du cul ! Mme Curry ! Héroïque péripatéticienne, soucieuse d'aller jusqu'au bout de sa mission, que dis-je ! Jusqu'au fondement ! Et qui se fit péter le sphincter (Tracy) à vouloir trop prouver sa bonne volonté.

Eh bien ! Elle est décédée, là, sur son sofa profond comme un tombeau, justement. Couchée à plat ventre, une jambe hors de la couche, la tête de côté pour montrer sans équivoque son visage blanchi par le trépas. (J'ai pleuré sur trépas). Crime de sadique ! On l'a criblée de coups de poignard ; un poignard à lame recourbée, au manche incrusté, qui se trouve auprès du cadavre et qui devait, naguère, orner le mur. On peut lire, dessus « Souvenir de Manille ». Crime de sadique, oui, car on lui a enfoncé dans le centre d'accueil son combiné téléphonique. Oui : elle a reçu un coup de téléphone dans l'oigne, la malheureuse. Le goumi du Gros ne constituait qu'un préalable du destin, qu'une espèce de mise en condition ! Elle a pris tout le combiné — ou presque — dans le prosibe. N'est plus apparente que la partie émettrice. Le fil tire-bouchonne jusqu'au socle. Elle est branchée sur le réseau, Suzy. Le *tuiiiit tuiiiiit* de l'appareil ajoute encore à l'effroyable de cette vision ; la dramatise davantage.

Bien que morte, elle a la ligne. Raccrochez, c'est une terreur !

Nous demeurons provisoirement sans voix ; mais le naturel reprenant le dessus, je finis par soupirer :

— Eh bien, mon cochon !

A quoi, le Gros ajoute :

— C'est l'cas d'y dire...

Puis il déclare :

— On n'a pas le fion bordé d'nouilles, décidément !

La comparaison paraît mal venue devant celui de Suzy Wrong. Quand je pense que des mecs rouscaillent parce qu'on tarde à leur poser le téléphone !

Pauvre petite souris jaune, si gentillette, experte, ardente à la tâche. Pourquoi ai-je le sentiment que ce meurtre est une mise en scène ? On a voulu laisser croire à un crime de sadique, mais en fait il s'agit d'une froide exécution (et maintenant c'est la môme qui est froide) signée Chakri Spân, je gage ?

Pas dif à conclure... La môme se trouvait dans la chambre de Johannes Brandt. Si Chakri Spân a liquidé les valets de chambre, susceptibles de signaler sa présence à l'étage au moment du pseudo « suicide » de l'Allemand, à plus forte raison était-il plus prudent de neutraliser sa conquête d'une nuit.

— Tu vois, Gros, je pense que Chakri Spân a buté le Chleu dans un moment de rogne. Il avait rancard avec lui pour un safari chez Herr Hotik, le fusil dans la chambre est éloquent sur ce point. Et puis il y a eu maldonne. Le Teuton a dû menacer de dévoiler le poteau rose et Chakri l'a passé par-dessus le bastingage. Ensuite, il a dû faire faire le ménage pour se tenir le nez au propre.

— Exaguetement ce dont j'étais t'en train d'réfléchir, approuve le Véhément.

Nous évacuons la chambre-studio. Nous voici dans ce logement comme dans une nasse. En sortir, ce serait aller au-devant des pires calamités. Y demeurer, c'est attendre l'inévitable. Me fais-je bien comprendre, malgré mon langage un tantisoit sibyllin ? Oui ? Tu es sûr ? Merci.

C'est alors qu'on sonne à la lourde.

Tout autre que moi, auteur complaisant, soucieux de respecter les tabous du genre, s'empresserait de changer de chapitre.

Songe : un coup de sonnette à cette période de l'action, merde, faut l'oser ! On est là, nous deux, Gradu et ma Pomme, traqués par les polices, accusés d'autant de meurtres qu'en fit commettre Adolf Hitler, coincés dans un mini-bordel en compagnie d'un cadavre sauvagement devenu cadavre ; y a de quoi se la badigeonner au mercurochrome et se la mettre en vente au marché Biron, tu trouves pas ?

Ben non, j'enchaîne recta, moi.

Et même tu sais pas ? Alors là, je vais bien te faire frémir : j'ouvre la porte.

Poum ! Sans tergi ni verser, commako, sec ! Entrez, vous êtes chez vous !

La vie n'est qu'un recommencement. Je finis par m'étonner de m'en étonner encore.

Qui donc est venu carillonner céans, lors de notre première visite ? T'en souviens-tu, toi que voilà ? L'Anglais de l'*Oriental ?* Oui ! Gagné !

Eh ben, c'est encore lui. Toujours très Britiche, toujours comme il faut, la raie impec sur le côté, fringué de bleu foncé, limouille blanche, cravate en ficelle, grolles à larges semelles.

Il ne sourcille même pas en nous aspergeant, non rasés, poudreux, sanguinoleurs, les vêtements encore humides. Lui, ce serait la Zabeth II qui délourderait, il garderait son self, l'artistc. Intact. Dirait simplement « Mes respects, Majesté », mais sans écarquiller les vasistas. Plus les choses sont singulières pour ces gens-là, plus ils comportent comme si elles étaient normales.

— Vous tombez bien, *my dear,* lui fais-je. *Donnez-vous le pêne d'entrée* (1).

Il.

— Miss Wrong n'est pas là ? questionne le Britiche.

— Elle est au téléphone, réponds-je.

Ce qui est, dans un sens, l'expression de la vérité. On s'installe au salon.

L'Anglais murmure :

— *Lovely night indee !*

J'en conviens d'un hochement de tête.

Il ajoute, sur le ton des soupirs (comme s'il se trouvait en gondole) :

— *Well, well, well, well.*

Ce qui est typiquement rosbif. La converse, chez eux : c'est immuablement « Beau temps, n'est-ce pas ? » et pour le reste du séjour « *well, well, well, well* ». Par salve de quatre, toujours. Quatre *well.* T'as déjà remarqué ? Le temps d'une exhalaison.

— Vous êtes en vacances ? lui demandé-je.

Il secoue la tête négativement.

— Affaire.

— Import-export ?

— Juste.

— Et ça marche ?

— Il y a eu des temps meilleurs.

— Mais il y en aura de plus mauvais ?

— Je le crains.

Magnifique dialogue, en comparaison duquel, celui des *Carmélites* n'est qu'une chanson de gestes.

Je décide soudain qu'il est temps de parler un langage plus positif.

(1) En français dans le texte.

— Eh bien, moi, fais-je, j'appartiens à la police parisienne, de même que mon ami ici présent.

— Je sais, dit l'autre en réprimant un bâillement ; je vous ai reconnu dès votre arrivée.

— Reconnu ?

— Moi, je suis de l'I.S. Mon nom est Brandson. Major Timothée Brandson.

A flegme britannique, self-contrôle français et demi.

— Vous êtes mon premier, rétorqué-je.

Il se retient de questionner, mais comme je ne moufte pas, il murmure :

— Votre premier Major de l'I.S. ?

— Non : mon premier Timothée. Je croyais que ce prénom n'existait que dans les polars d'Agaga Christie.

— Il figure également sur mon acte de naissance, assure mon interlocuteur.

Je cherche Béru. Il a disparu. Mais des odeurs en partance de la cuisine me proviennent. Sans doute la jaffe de la Femme-Baleine ne lui a-t-elle pas suffi. Il a toujours un petit creux grand comme l'ancien trou des halles à combler, cécoinsse.

— Venez avec moi, collègue !

J'entraîne mon éminent chosefrère jusqu'au studio de miss Wrong.

— Nous l'avons découverte ainsi, expliqué-je en lui découvrant la morte.

Il s'approche, considère, exactement comme s'il admirait la vitrine de chez Cartier.

Bien sûr, il part d'une nouvelle série de « *well, well, well, well* ».

— Moche, n'est-ce pas ?

— Plutôt.

— Vous vous intéressiez à elle ?

— Comme vous.

— Pour la même raison ?

— Vraisemblablement.

— Vous aviez vu quelque chose, à propos du suicidé de l'hôtel ?

— J'ai vu qu'il ne s'agissait pas d'un suicide. J'ai vu que quelqu'un le faisait basculer, mais sans distinguer la personne en question. J'espérais des précisions de cette jeune femme. Je suis venu une première fois, elle n'a pu me recevoir. Mes autres tentatives se sont heurtées à sa porte close.

— Parce que Chakri Spân a été plus prompt que vous.

— Ah oui, lui, vous pensez ?

— Vous le connaissez ?

— De réputation. D'après celle-ci, c'est un homme qui touche à trop d'affaires illicites pour espérer battre le record de Mathusalem.

— Je vais vous résumer les chapitres précédents, cher Major, vous pourrez mesurer jusqu'où vont les entreprises de Chakri Spân.

— Quéqu'un veuille-t-il du crabe au curry, du riz aux crevettes, du porc aux germes de soja et du canard ripoliné ? questionne Béru, depuis la cuisine.

Il a déjà la bouche pleine de tout ça.

La mienne ne contient que des mots.

La confiance règne.

Tiens, voilà qui ferait un titre valable pour une de mes conneries, tu ne trouves pas ?

Souvent, il m'en vient... Je me dis : « En v'là un » (car je me cause simplement, sans chichiter). Et puis l'élan me tombe. A seconde vue, je les trouve trop mous, comme « *La Confiance règne* », justement. Pas suffisamment percutants. D'autres, par contre, sont trop durs, ainsi d'un que pourtant j'adore, et que j'm'ai jamais servi : « *Tant qu'il y aura des Zobs* ». L'éditeur refuserait. Il aime la juste limite. « *A prendre ou à lécher* », tu vois, c'est sa longueur d'ondes. Corsé, mais acceptable. Faut qu'il veille au grain, l'éditeur. C'est mon Dieu le Père. Je lui demande la permission de tout. Des fois, il l'accorde, mais sans trop d'emballe. Plus souvent, il fait la grimace, émet un bruit de muqueuses ramonées, comme s'il allait me glavioter sur les lattes. « Ahhr, je ne pense pas que ce soit une bonne idée ». Bon, il pense pas que c'est une bonne idée, ça veut dire que tu peux te la refoutre dans le bénouze. Intraitable. J'en vois qui me font des proposes mirifiques ; qui me disent ainsi : « M'sieur l'Antonio, vous aimeriez-t-il que j'écrivisse (et non pas écrevisse) un livre sur vous ? ».

Tiens, si je te disais, un jour : le professeur Sauvy, l'un des tout grands esprits de ce temps. Un livre sur moi, il avait envie. Je m'avance pas, va lui demander, je me permettrais pas de bluffer, jamais avec un homme de vraie valeur. Eh bien ! mon nez-dites-heure lui a remisé les velléités, au professeur Sauvy. Poliment. « Non, merci, j'y tiens pas. Ou alors montrez-moi votre texte, au prélavable ; je verrai ». Le bonjour à Alfred, quoi ! Une main de fer dans un gant de fer, monnaie-diteur. Le manager de grand style. L'homme de tous les moments, de toutes les circonstances. Le conseilleur-payeur. L'indomptable. Il vigile sans relâche... *Ecris pas la bouche pleine !* il me fait. Ou bien « *Mets un tricot de corps, le temps fraîchit* » ; et encore « *Tu roules trop vite avec ta Daimler* » ; tout ça... Et puis les chèques et maths. C'est mon second papa. Je l'aime. Lui aussi, j'veux pas qu'y prenne froid. On s'a besoin, lui et moi. On est deux, la vie est plus facile.

Je te cause de lui parce que ça me vient. T'en as rien à branler, je sais ; mais faut connaître les tenants-aboutissants. Ce qu'on appelle le dessous des choses. Voilà le dessous des miennes.

La confiance règne, avais-je commencé.

Entre Timothée et moi, complété-je.

On joue franco pendant que le Gros décrasse toutes les provises disponibles dans l'appartement de la chère Suzy Wrong (une qui ne s'est pas cassée pour trouver un nom de guerre, hein ?).

Je lui ai tout déballé, au copain de l'I.S., point par point, heure par heure, dent pour dent. A l'œil. Mes démêlés avec Chakri Spân ; mes emmêlés avec l'organisateur de safaris et ses clients. La police qui nous traque...

Me mets à sa merci. Ne nous a-t-il point sauvé *the life* une première fois ? Et puis, il me connaît de répute. Santonio, l'as des as. Celui sans qui la France ne serait que ce qu'elle est.

Que d'aventures en un lapsus de temps infime !

Y a qu'à nous non ? Si vite, si tumultueux ! Pan, bigne, plooff ! Mitraillette, course sur les klongs, crocodiles, femme-canon, pépé nase ! Bonsoir, méâmes, bonsoir messieurs ! Signé San-Antonio.

Un pied géant, non ? Il va mouiller, l'Edith-heure quand ils vont lui raconter comment que ça cavalcade dans ce polar. Qu'on traîne pas, qu'on fait pas chier le lecteur, mais qu'on balance la péripétie à la truelle. Et en telle quantitoche qu'il va encore falloir imprimer menu, et zob pour les myopes ! N'auront qu'à lire le « *Roman de Miro* » ; ou bien s'acheter des loupes. Pas de ma faute si j'ai à dire. Je voudrais t'en écrire des hénormes, que l'action intarisse. On te les fourguerait plus cher, faut comprendre, mais ils te feraient tout le véquende.

Le bon Rosbif, Major Brandson, écoute comme si je lui lisais les cours de la Bourse. Et encore, pas celle de Londres, mais celle de Pétahouchnock. Quand j'en ai fini, il soupire :

— Difficile situation, *my friend*. Très difficile situation.

— Merci, fais-je, je l'avais remarqué.

— Vous n'avez pas une chance sur cent millions de millions de faire admettre votre bon droit aux autorités d'ici.

— Ne péchez pas par excès d'optimisme, Major.

Il caresse ses tempes brunes, où fleurissent quelques touffettes grises.

— Croyez-vous en Dieu, *mister* commissaire ?

— Je fais semblant, avoué-je, mais je fais si bien semblant de croire en Dieu que Dieu croit que je crois en lui, ce qui est le but recherché, n'est-il pas ?

— En ce cas, je pense être en mesure de vous dire que c'est lui qui m'a placé sur votre route.

— J'en ai le pressentiment.

— Je suis l'homme qu'il vous faut.

— Vous pourriez donc nous venir en aide ?

— Probablement.

— De quelle manière ?

— J'ai besoin de main-d'œuvre qualifiée.

— Pour ?

Il hoche la tête, sort de sa poche un étui à cigarettes qui, bien qu'appartenant à un gars de l'I.S. ne tire pas de balles, ne projette pas de gaz asphyxiant et n'est pas un poste émetteur. Il contient benoîtement des cigarettes dont l'odeur en se consumant me paraît être celle des Camel (1).

— Moi aussi, je vais vous faire quelques confidences, *my dear* (c'est moi que j'ajoute *my dear,* pour faire plus britannique, sinon il me dit « mon cher », mais me le dit en anglais).

— Votre confiance répondant à la mienne prouve que nous sommes liés par une sympathie réciproque, tourné-je, sur mon tour à blabla.

— Bien entendu, votre discrétion m'est acquise ?

— Complètement, Major.

— Mes supérieurs m'ont envoyé ici parce qu'ils ont été informés qu'un coup fumant s'y prépare.

— On va détrôner le roi ?

Il a un lugubre sourire pour condoléances attristées.

(1) C'est pas un appel du panard pour la maison *Chameau :* je ne fume que des *Davidoff number one.*

— Mieux que le roi.

— Bigre, qui donc ?

— Dieu.

— Pardon ?

Timothée inventorie ses poches et finit par dégauchir (comme on dit en anglais), un dépliant touristique célébrant les merveilles de Bangkok. Il le déplie (puisqu'il s'agit d'un dépliant, à quoi bon se gêner ?) et me présente une rubrique bien définie. Elle traite du temple *Wat Trimit,* lequel abrite le célèbre *Bouddha d'or,* aimable statue de 3 mètres de haut, pesant 5 tonnes et demie, évaluée à quelque 20 millions de dollars. Ce haut morcif fut découvert par un bonze, au cours de je ne sais quels travaux entrepris en bordure du fleuve. Il était recouvert d'une forte épaisseur de plâtre chargée de déjouer les concupiscences. Ce bon bonze (acidulé), pas empêché du bulbe, a eu l'idée de casser un bout du plâtre. Et qu'a-t-il trouvé dessous ? Du jonc, mon pote ! Du *gold* véridique ! On a vite débarrassé la divine statue de sa cangue camoufleuse et on l'a installée dans le temple *Wat Trimit,* en pleine ville chinoise, là que se trouve le crématoire du quartier, la morgue, le séminaire des bonzes Pilatt, tout ça...

Je rends la brochurette à mon honorable collègue et attends qu'il s'explique.

— Un groupe de petits malins a décidé d'embarquer le Bouddha d'or, confirme-t-il.

— Sympa, dis-je, mais mal commode, non ? Cinq tonnes et demie, faut au moins se mettre à deux pour coltiner l'objet ! Et trois mètres de hauteur, pardon, c'est pas de la tarte.

— Ils ont trouvé une astuce diabolique...

— Il faut être effectivement le diable pour s'attaquer à Bouddha.

Timothée (à la menthe) me vote un sourire reflétant essentiellement son apitoiement. Il aime trop les sciences exactes pour se contenter d'à peu près.

— Quels gens se sont attaqués à une entreprise aussi hardie ?

— Des Français, mon cher, ne vous en déplaise, associés à quelques Italiens et à un Turc. Ce sont eux qui ont fomenté le coup, l'ont organisé et qui le réalisent, avec l'assistance de l'éternel Chakri Spân, bien entendu.

— Juste ciel, un bouddhiste s'attaquer à Bouddha !

Il hausse les épaules.

— Chakri Spân n'est pas bouddhiste, mais plus ou moins pakistanais et japonais à la fois.

— Comment l'I.S. a-t-elle été prévenue de la chose ?

— Par un loustic londonien, spécialiste du chalumeau, qui fut contacté par le cerveau de la bande, un nommé Iraiggaps. Il avait accepté de participer à cette sauterie, mais il a été arrêté dans l'intervalle pour une mauvaise affaire. Comme c'est un garçon claustrophobe, il a monnayé son information, ce qui est humain.

— Pourquoi s'est-il confié à l'I.S. plutôt qu'au Yard ?

— Il s'est confié au Yard ; mais l'affaire nous a été transmise et c'est moi qui l'ai héritée, étant spécialiste de cette région du monde. Disons qu'elle est mon fief.

Béru surgit inopinément, les lèvres graisseuses, la bouche pleine, le pantalon dégrafé.

Il a entendu la dernière réplique de notre ami et il l'interpelle :

— Si v'seriez espécialiste du patelin, pouvez pas m'dire où qu'ils foutent leurs chiottes ? J'ai z'une envie d'bédoler qui m'prend t'à la gorge et j'arrive pas à dégauchir les chiches.

— Il est probable que vous les trouverez au rez-de-chaussée, informe Brandson.

Béru le remercie par quelques pets dont l'extrême prudence en dit long sur l'urgence de son problème et sort en continuant de se préparer aux sublimes abandons.

— Vous avez là un collaborateur assez singulier, n'est-ce pas ? émet Timothée (au jasmin).

— Disons même que c'est un cas, renchéris-je. Mais il a des aspects positifs. Alors, *dear friend,* cette diabolique opération « Bouddha d'or » ?

Brandson allume une nouvelle Camel (que surtout m'en envoyez pas, hein, les mecs de chez Camel ? je saurais pas qu'en foutre, et mes pauvres ne fument que du scaferlati ordinaire).

Il l'allume avec une aisance tout à fait britannique. L'attitude d'un gentleman reste ce qu'il y a de plus beau à voir sur notre planète, après la chatte d'une jeune fille.

— Je vous pose la devinette, commissaire : si vous étiez truand et que vous projetiez de voler une statue d'or pesant 5 tonnes 5, scellée sur un socle et bouclée dans un temple bien gardé, de quelle manière vous y prendriez-vous ?

Je branle tu sais quoi ? Oui ? Bon. Alors, je le branle et réponds :

— Ma foi, ne pouvant disposer d'une grue, je la découperais en morceaux transportables.

— Bravo. Seulement il faut beaucoup de temps pour morceler un monument pareil. Or, le temple *Wat Trimit* est au cœur d'un complexe religieux plein d'allées et venues le jour, et gardé la nuit.

— Alors ?

— Alors il a fallu faire montre de génie, et ces coquins en ont à revendre. Ils agissent par petites étapes, de nuit. Cela fait un mois qu'ils sont à pied d'œuvre. Vous êtes allés visiter le « Bouddha d'or » ?

— Je n'en ai pas encore eu le temps.

— La statue se trouve dans une sorte de chapelle, si je puis employer ce mot, surélevée, à laquelle on accède par une volée de marches. Chakri Spân a offert des travaux de rénovation extérieure. Cela se fait dans ce pays. On gagne son paradis en restaurant des statues religieuses ou en offrant des objets du culte. Au cours des travaux, un trou a été percé, à l'extérieur, qui a été refermé d'une manière permettant de le rouvrir sans difficulté. Ce trou se transforme en un souterrain qui va jusque sous le formidable socle de la statue. Vous suivez ?

— En rampant, mais je suis !

— Donc, nos petits bricoleurs peuvent pénétrer dans la statue et la découper *de l'intérieur.*

— Formidable, mais ça change quoi ?

— Tout.

— Comment cela, leur boulot a la même finalité, non ?

— Non, car ils ont eu l'astuce du siècle, mon Vieux.

— Ne me faites pas languir davantage, Timothée, mon amour.

— Une nuit, deux spécialistes se sont laissé enfermer dans le temple et, s'inspirant de l'astuce qui avait servi à neutraliser la cupidité des envahisseurs birmans jadis, ont coulé par-dessus une couche de plastique dorée qui se solidifie en quelques heures. Ils sont donc en train de découper la statue *sous cette carapace qui, elle, ne bouge pas,* comprenez-vous ? Travail minutieux, certes, mais de grand style. Il se passera probablement des lustres avant qu'on ne découvre la supercherie.

Je demeure sans voix. Mon silence est un coup de chapeau admiratif à l'astuce effectivement diabolique des pillards.

— Bien ficelé, n'est-ce pas ?

— Admirablement. Bon, et alors, que vient fiche l'I.S. dans cette galère ? Pourquoi ne pas affranchir tout bonnement le gouvernement thaïlandais de ce qui se passe ?

Brandson fait la moue :

— Le monde a trop tendance à se figurer que le Royaume-Uni et ses institutions sont en plein déclin... Nous avons conservé de beaux restes, vous savez ?

— Je le sais, fais-je gravement, je me moque beaucoup de votre pays, Brandson, pourtant je sais bien qu'il reste unique en son genre, et qu'il ne deviendra jamais la Principauté de Monaco, comme certains le prédisent.

Je le regarde au fond des yeux, avant de poursuivre :

— Vous avez décidé de laisser tirer les marrons du feu, n'est-ce pas ? Et ensuite de faire main basse sur le Bouddha ? Vingt millions de dollars, c'est toujours bon à encaisser.

Timothée émet un bruit sec et réprobateur.

— Nous n'en sommes pas encore à ramasser dans les poubelles du crime, mon ami. Simplement vous savez que le British Museum recèle les plus belles pièces de l'art ancien ?

— Receler est le mot, riposté-je, vous avez pillé la terre entière à l'époque de votre souveraineté. Ainsi, le Bouddha d'or est destiné au *British Museum ?*

— Juste.

— Et vous l'y installerez à la rubrique « Objets trouvés », ou « Don d'une bande de casseurs anonymes » ?

— Copie du fameux Bouddha d'or de Bangkok, simplement ; nous savons être modestes à l'occasion, partant du principe qu'il vaut mieux avoir dans son salon un vrai Rembrandt qui passe pour un faux, qu'un faux qui passe pour un vrai.

J'opine.

— Dites, Brandson, vous ne trouvez pas un brin dégueulasse de priver de l'une de ses merveilles un pays où seuls ses Bouddhas roulent sur l'or ?

Il éclate de rire.

— Si nous n'avions pas eu vent de la chose, cette œuvre d'art aurait été fondue au lieu de demeurer à l'état d'œuvre d'art...

— Et comment vont-ils évacuer les morceaux ?

— Dans des cercueils de Chakri Spân, la morgue est contiguë à la chapelle du bouddha.

— Décidément, le cercueil confine au mode de locomotion dans cette ville. Dites, vous ne redoutez pas la justice du ciel, collègue ? J'ai lu dans mon *Guide Bleu* qu'aucune statue de Bouddha ne doit quitter le territoire.

Brandson hoche la tête.

— Je suis chrétien, pas bouddhiste. Et même, commissaire, si je n'étais pas chrétien, il suffirait que je sois anglais pour mener à bien cette mission !...

Je m'incline, à la mousquetaire, saluant du chapeau que je n'ai jamais porté.

— Maintenant, expliquez-moi de quelle façon nous pouvons vous être utiles...

— Au moment de l'interception. Mes effectifs ici sont plutôt minces : trois hommes. Certes, nous bénéficierons de l'élément de surprise, mais les autres sont le double, sans compter qu'il y aura la main-d'œuvre de Chakri Spân dont il ne m'est pas possible de prévoir l'importance.

— Je vois.

Ça, très britiche : « *I see* ». Je *see,* donc je suis.

Je suis son homme. Mais ça va être coton.

— Le hic, c'est qu'ils ne vont pas attendre d'avoir découpé entièrement Bouddha pour l'évacuer. Ils vont le sortir par lots d'une centaine de kilogrammes chacun, je suppose, ce qui représente pas mal de voyages. Ces morceaux seront entreposés quelque part, j'ignore encore où.

— Je crois le savoir, moi, mon bon Timothée.

— *Indeed* !

— *Yes*. Si Chakri Spân est dans le coup, si l'évacuation s'opère à l'aide de cercueils en guise de containers, lesdits cercueils s'accumuleront tout bêtement dans l'entrepôt du bonhomme. Et une fois le vénérable *Bouddha d'Or* alpagué, comment le sortiront-ils de Thaïlande ?

— Par bateau ; un yacht privé appartenant à un Hollandais est mouillé non loin d'ici sur le fleuve.

Le timbre (à 80 satangs (1)) de la porte nous livre sa brève mélodie, crémeuse à souhait.

— Mon pote qui vient d'achever sa mise à jour, dis-je à Brandson, lequel s'est cabré en percevant le gong.

Je vais ouvrir.

Mes réflexes, jamais je ne saurai les apprécier davantage qu'en cet instant décisif (comme le mythe de). Un millième de seconde — et encore j'en rajoute pour faire plus vrai — me suffit à réaliser le topo. Un petit gredin en tea-shirt bleu, coiffé d'une casquette marine bleue, tient une sulfateuse braquée contre la lourde. A son côté : une méchante valoche de carton d'où il l'a sortie, car il ne se balade pas avec sa seringue dans la *street*. Je me jette de côté. Lui, il défouraille en éventail. Mécolle pâte, tu sais pas ? Attends que je reprenne mon souffle

(1) 100 satangs font un baht.

pour te raconter... Je virgule mon panard au hasard dans l'encadrement. Celui dont l'extrémité du soulier a été pourvu d'épingles par Béru. Je sens du dur à l'arrivée. Un gémissement bref. Et puis il y a échauffourée rapide. Une seconde salve. Béru apparaît, la mitraillette fumante dans les pognes, le calbute sur les pompes.

— V'là qu'est fait, annonce-t-il, et je ne sais s'il veut parler de sa grosse commission ou de la neutralisation de notre antagoniste. Je suppose que les deux performances ont été menées à bien.

En effet, notre agresseur est allongé pour le compte, avec un trou grand comme un cadran téléphonique au milieu de la poire.

— Une veine que les caczingues se fussent trouvés hors d'l'appart'ment, apprécie Bérurier.

Il dépose l'arme contre le mur et se reculotte posément, drapant son concombre fantasque dans les pans élimés de sa limouille.

Il considère notre copain Timothée d'un œil chagrin.

— Hé, dis don' ; y paraît tout chose, ton Rosbif. Ces cons-là y z'ont beau digérer de la bouffe pas croyab', y z'assimilent tout d'même pas les valdas.

En effet, Brandson a pris le plus clair de la salve dans les tripes.

Il nous agonise devant, sans ostentation, le regard perdu, la bouche serrée, et meurt sans avoir proféré une syllabe.

L'odeur de la poudre flotte dans l'air à la ronde. Grisante sur le coup, mais si âcre qu'elle ne tarde pas à nous faire toussoter.

— C'est qui, ce gonzier ? demande le Gravos en montrant le Jaune foudroyé.

Il n'espère pas de réponse ; la question, c'est presque à lui-même qu'il la pose.

— Un boy-scout de Chakri Spân, fais-je néanmoins. Tu penses bien qu'à force de fouinasser dans le secteur, Timothée a été retapissé. Chakri Spân devait le faire suivre. Quand on lui a dit qu'il se pointait ici, dans l'appartement de la petite Suzy dont notre marchand de bières s'était débarrassé, il a donné l'ordre d'allonger le mec.

— Y nous reste plus qu'à cavaler, hein ? Décidément, on n'est pas dans not' meilleur quartier de la lune, soupire l'Enflure, juste au moment que c'Britiche allait p't'être pouvoir nous sauver la mise…

— Il vient de nous sauver la mise, rectifié-je.

— En quoi f'sant, gros malin ?

— En décédant. Il nous laisse ainsi le champ libre.

— Je pige pas.

— T'inquiète pas, moi si. Je me comprends toujours à demi-mot. Allez, *go !*

— Où qu'on va réfugier ?

— Mais… à l'*Oriental,* mon brave Zorro, n'y avons-nous pas deux excellentes chambres et tous nos bagages ?

— Un peu de champagne, cher ami ?

Le chef de la police, l'excellent Raï Duku, me considère avec défiance. Il louche sur son auxiliaire (avoir) le cher Wat Chié.

Sans attendre sa réponse, je demande au room service de nous monter une boutanche de Dom Pérignon et quatre verres.

Ces Asiatiques, leur force, c'est le self-contrôle. Ainsi, ce haut fonctionnaire n'a pas hésité à répondre à mon appel. Il s'est pointé, flanqué de Wat Chié et de quatre autres poulets en armes. Je l'ai reçu civilement. Les archers, sur son ordre, attendent dans le couloir. Bien que nous soyons traqués par toutes les polices, Duku continue de m'accorder une certaine considération.

Je lui ai fait un récit circonstancié de tout ce qui vient de se produire, sans omettre le moindre détail. Plus tard, j'irai la chanter dans les cours, cette histoire, tellement je la sais par cœur.

— Mon cher collègue, reprends-je, je viens de communiquer par écrit la relation de ces faits à l'Ambassade de France. Si vous ne garantissez pas notre rapatriement dans les meilleures conditions, ce scandale sera connu du monde entier et je vous laisse apprécier les conséquences. Par ailleurs, j'exige que vous mettiez fin aux activités de Chakri Spân, d'une manière ou d'une autre. Je ne vous cache pas que je suis plutôt partisan de l'autre, car cet homme n'a pas le droit de vivre. Ses crimes contre l'humanité et contre la religion le rendent intolérable. Comme, par ailleurs, il n'est pas impossible qu'il ait corrompu certains personnages du Royaume, il me paraît que, plus vite il sera muet, mieux cela vaudra pour beaucoup de monde.

« A votre place, je provoquerais, cette nuit même, un conseil au plus haut niveau, et je m'arrangerais pour que votre marchand de cercueils termine la nuit dans l'un d'eux. Je connais les grands princeps de votre religion. Le sacrilège relatif au divin Bouddha d'Or est inexpiable. Bien que catholique, je sens que Bouddha m'a à la chouette. Je viens de faire quelque chose pour lui, il fera je n'en doute pas quelque chose pour moi, car tous les Dieux renvoient l'ascenseur. Cela dit, je souhaiterais rentrer à Paris dans les meilleurs délais.

Raï Duku continue de réfléchir. Son subordonné attend qu'il traduise.

On nous apporte le champagne, je le sers moi-même, avec assez de verve.

— Vous pensez que M. Chakri Spân a tué personnellement cet Allemand, dans l'hôtel ? finit par murmurer mon terlocuteur.

— Naturellement. Il avait rendez-vous avec lui et, pour des raisons X, Brandt s'est fâché, a menacé de révéler le pot aux roses concernant les safaris humains. L'autre a pris peur et s'est débarrassé séance tenante de ce fâcheux client.

— Mais pourquoi l'Allemand se serait-il mis en colère ?

— Je l'ignore. Pendant que j'y pense, il tenait quelque chose dans le creux de sa main. Mon` zélé collaborateur ici présent...

Courbette, assortie d'un pet, du collaborateur auquel la cuisine locale occasionne des flatulences.

— ... a aperçu ce petit objet...

Je vide mes vagues l'une après l'autre, retrouve le petit disque de jade et le propose à Raï Duku.

Mais il ne s'en saisit pas.

Tu sais quoi ?

Alors là, je vais t'en boucher une drôle de surface portante...

Ayant considéré la rondelle de jade, Raï Duku se jette à genoux devant moi et se prosterne à toute vibure, des chiées de fois ; on le brancherait sur une dynamo, il dégagerait de l'électricité.

Son auxiliaire (être) s'hâte de l'imiter.

Comme leur manège se prolonge pendant un bout de moment, je finis par choper le tournis.

— Voyons, repos ! Le champagne va chauffer ! leur dis-je.

Ils continuent de marionnetter un instant sur leur aire, enfin ils reprennent la position verticale, puis la position assise.

Raï Duku sort sa pochette de soie et l'ayant développée, la dépose sur le disque que je tiens dans ma paume. Ensuite il m'oblige le poignet à un mouvement rotatif de manière à recueillir sa capsule.

— De quoi s'agit-il, patron ? questionné-je.

Il balbutie :

— C'est la clé sacrée du Bouddha d'Emeraude de Wat Phra Keo, celle qui livre accès au vestiaire où sont déposés les vêtements d'or et de diamant qu'on met à la statue selon les saisons. Mais, sacré bon Bouddha, on allait donc piller toutes les richesses religieuses de mon pays ! Cet Allemand n'était pas un chasseur d'hommes — ou alors occasionnel — mais un chasseur de joyaux ! Et ce Chakri Spân livrait le patrimoine thaïlandais à l'étranger ! Ah, merci, valeureux commissaire San-Antonio. Sa Majesté sera mise au courant de votre héroïque conduite et il est probable qu'elle vous décorera de l'Ordre de la Blhé Nô Ragi pour services rendus à la nation.

Il me donne l'accolade, en guise d'acompte, et sort, suivi de Wat Chié, en tenant à bout de bras le disque de jade dans sa pochette.

Je lis l'édition anglaise du *Bangkokien Libéré* au bord de la piscine, en éclusant un jus de noix de coco. *Very good.* Le fruit est encore dans sa cangue verte, on y a percé deux trous et je pompe le douceâtre breuvage à l'aide d'un chalumeau (oxhydrique).

Sur le siège voisin, Béru en fait autant, sauf qu'il a prié le barman d'injecter cinquante centilitres de calva dans le lait de coco pour « le muscler » Magloire.

— Les nouvelles sont fraîches ? interroge le Gros, avec le ton d'un qui s'en fout.

— Plutôt brûlantes, mon Gros !

Je lui présente la une du baveux. Sur quatre colonnes, on peut y voir la photo d'une grosse bagnole consumée. Titre : « Tragique accident de la circulation, cette nuit : le célèbre industriel Chakri Spân meurt carbonisé dans sa légendaire Rolls. »

L'article qui accompagne, je m'en torchonne. Littérature. J'en fais de la pareille à longueur de matinée. Mais, bon, tout est *well* qui finit *well,* aurait dit ce pauvre Timothée.

A cet instant, le haut-parleur de l'hôtel :

— Monsieur San-Antonio est demandé à la réception.

Allons, bon, quoi encore ? On ne va pas me casser les claouis jusqu'au départ de l'avion !

En maugréant, je me rends dans le hall. Et qui vois-je, gigantesque, massive, pipe aux lèvres, près de la caisse ? Tu viens de le deviner *in extremis,* en chaud latin que tu es : Mrs. Goodyeard, en effet. Saboulée en officier de commando pendant la guerre contre le Japon : tout en kaki, avec des épaulettes, des poches poitrine et pas de poitrine dessous.

— Hello ! me lance-t-elle.

Pas contrariant, je lui réponds « hello ».

— Vous n'étiez pas ici, hier ? m'annonce la virago.

— Je sais, fais-je, on m'avait convié à une partie de chasse.

— Quelle horreur ! Ce sont les chasseurs qu'il faudrait abattre !

— Aussi, est-ce bien ce que j'ai fait, certifié-je. Vous aviez quelque chose à me dire, chère madame ?

Elle ouvre la rude giberne qui lui tient lieu de sac à main. Y puise une coupure de journal.

— C'est rapport à votre annonce dans *Bangkok Soir,* concernant ce type avec qui j'ai voyagé à deux reprises, paraît-il.

— Ah ! bon, alors ? (1)

— Je l'ai retrouvé, grâce à la photo.

Mon cœur saute l'obstacle. Ma gorge prend feu.

— Etes-vous bien certaine qu'il s'agit de lui ?

— Dites, l'ami, j'ai l'œil.

(1) Je te prie d'admirer l'originalité de la réplique ; son sens du raccourci. C'est à des phrases de ce tonneau qu'on reconnaît le grand styliste. Merci.

— Et où se trouve cet oiseau migrateur ?

Elle ôte sa pipe, garde le trou du tuyau entre ses lèvres, puis se racle puissamment la corgnole et va glavioter dans un porte-parapluies de cuivre tout proche.

— Bon, venez avec moi, je vais vous le montrer !

***

Elle pilote une jeep avec maestria dans ce bordel ambulant qu'est la circulation bangkokienne, n'hésitant pas à « mordre » les trottoirs, à bousculer les cyclomotoristes, à tamponner les taxis branlants ni à donner des coups de cul aux piétons aventureux.

Elle ne parle plus. J'ai essayé de lui poser quelques questions, mais elle a maugréé :

— Soyez patient, mister flic ! Et dites-vous bien que je n'ai pas pour habitude de servir d'indicateur à la police. Je le fais uniquement pour dissiper votre bon Dieu de suspicion que je sentais peser sur moi depuis votre visite.

Nous nous séparons de la ville.

On roule de plus en plus démentement par des voies encombrées de camions qui ressemblent à des baraques foraines, tant ils sont décorés d'autocollants à la gloire de l'Univers Walt Disney, de franfreluches, de fanions. Les routiers thaïlandais raffolent de ce genre de gadjets. C'est jaune et ça ne sait pas.

Enfin, voilà la vraie cambrousse...

On trouve, clairsemées, des propriétés presque luxueuses. Des vallonnements sagement cultivés et bordés d'arbres.

Je consulte ma montre avec inquiétude.

— Pressé ? finit par jeter la fumeuse de bouffarde.

— Mon vol pour Paris est dans trois heures...

— Nous serons de retour à temps.

Bientôt, nous parvenons à l'orée d'un golf immense, au green parfaitement entretenu, où des Occidentaux s'escriment, assistés de caddies orientaux ; parce que c'est ainsi et que ça le restera un bon moment encore. Et puis quoi, c'est pas parce qu'on est blanc de la tête aux pieds qu'on n'a plus le droit de jouer au golf, merde !

La grande sauvage pénètre sur un terre-plein défendu par une sorte de poteau-frontière qu'un vieux Chinetoque actionne rapidos en l'apercevant.

Mrs. Goodyeard se range sur le parking, peu encombré à ce moment de la journée. Elle prend une paire de jumelles dans ce qui sert de boîte à gants et m'entraîne à longues enjambées jusqu'à la terrasse du Club-House. Tu la verrais, Césarine, grimper sur un banc et sonder le parcours avec ses jumelles, tu croirais l'amiral Nelson à la bataille de Trafalgar Square, juste avant qu'il s'y fasse dessouder connement, l'imbécile heureux, au lieu d'être resté bien peinard dans le château de ses ancêtres. Je te demande un peu, cette marotte de vouloir entrer dans le dictionnaire, la tête sous le bras !

Elle craint personne, ainsi juchée, la mère. Son œil d'aigle, derrière les verres grossissants, sonde le terrain. Elle émet un ricanement.

— Voilà l'homme !

Me brandit ses jumelles en me montrant deux types, près du trou 12 : un joueur aux cheveux gris, vêtu d'un pull rouge et un caddy aux cheveux noirs, affublé d'un blouson bleu.

Je mate attentivement, pas d'erreur : il s'agit bel et bien de Victor Héatravaire, en train d'ajuster une balle, le club levé, les pieds cherchant l'appui idéal.

Il joue au golf, alors qu'à Paris, on se panique sur son sort.

Furax, je rends ses jumelles au colonel des dragons et m'élance à travers green (comme dirait le petit ami de Julien).

*
**

La balle blanche, dure et gaufrée, roule doucettement, comme une goutte de foutre au bout d'une queue et finit par tomber dans le trou.

Moi, le golf, c'est le caddie de mes soucis. Paraît que ça fait arpenter et que c'est bon pour la santé. Je veux bien ; mais je ne vois pas la nécessité d'arpenter en tapant sur une petite connerie pour aller la foutre dans un trou, à dache ou ailleurs. Après le feu, la pierre taillée et la roue, l'homme a inventé la boule. Et alors sa vie s'en est trouvée vachetement momifiée (pardon : modifiée). Il existe sur une boule, l'homme. Et il en a généralement deux qui lui pendent au cul. En plus, il en a créé d'autres pour son agrément.

J'applaudis.

— Bravo, M. Héatravaire, la Thaïlande vous réussit, voilà un très beau coup !

Il sursaille et se tourne vers moi.

— Vous me connaissez donc ?

— Jusqu'à présent, seulement d'après photo.

Je lui montre ma brème, qu'on a bien fait de la plastifier celle-là, tant tellement on est amené à la tripoter.

— Oh ! Oh ! La police ?

— Très officieusement : une initiative de votre ami Achille sur la requête de votre fils. On se morfond, à Paris, sans la moindre nouvelle de vous. Auriez-vous changé d'identité ?

Victor Héatravaire rend sa canne au boy et me pose sa rude main sur l'épaule. C'est un gars sympa, une espèce de vieux gamin frondeur avec une peau rude et plein de poils dessus. Des yeux d'homme solide qui sait voir venir, grâce à eux.

— Oh, bon, je me doutais bien que ça n'irait pas sans problèmes et qu'ils me feraient chier jusqu'à l'os, dit-il.

— Qui, ils ?

— Mais, tous... Les autres, quoi, vous, eux, mon fils, ma vieille carne de Clarisse. Clarisse ! Vous ne la connaissez pas, celle-là ?

— Je l'ai aperçue.

— C'est suffisant pour s'en faire une idée, non ?

— Amplement.

— Et qu'en pensez-vous ?

— Que c'est une vieille chiasse.

Il éclate de rire.

— Bravo ! Tu me plais, mon gars. Une saloperie de vieille pie mitée en effet. Et mon fils, t'as vu aussi mon fils ?

— Je l'ai vu.

— Ton jugement ?

— Un grand jean-foutre incapable.

— Dix sur dix ! Comprends-tu qu'arrivé à mon âge, te voyant environné de gens aigres, paresseux, ou cons et constatant que tes affaires s'écroulent, tu aies envie d'arrêter les frais et d'aller crever peinardos sous d'autres cieux ?

— Je le conçois parfaitement, monsieur Héatravaire.

— Alors c'est que tu es trop intelligent pour rester flic. Tu vois, fiston, j'ai commencé à me poser des questions le jour où ayant levé une petite minette au drugstore Saint-Germain, je me suis aperçu qu'elle ne portait ni culotte ni soutien-gorge. Je me suis dit :

« C'est râpé, mon Victor », t'es plus dans le circuit, avec ta manufacture, il va falloir te reconvertir. Mais me reconvertir pour qui ? Pour la vieille guenille dont je n'avais pas le courage de me débarrasser ? Pour le grand dadais paresseux que tu as vu ? Pour ma boîte que dirigeait avec moi un de mes anciens condisciples devenu gâteux ? Fume ! Fume ! Fume ! J'ai commencé à organiser ma sortie : réaliser le plus gros paquet de pognon qu'il m'était possible, le convertir en francs suisses ; ensuite, me procurer une fausse identité. Sais-tu comment je me nomme désormais ?

— Alphonse Dadet ? suggéré-je.

Là, je marque encore des points dans son estime.

— Merde ! comment t'as deviné ?

— Vous n'êtes pas homme à chercher de faux fafs dans les bistrots de Montmartre. Vous avez simplement endossé l'identité d'un gars qui vivait avec vous, qui avait votre âge et qui était né dans votre pays. Idée géniale : on allait rechercher Victor Héatravaire, pas un instant Alphonse Dadet !

— Eh ben toi, fiston, toi, t'as du chou !

— Pensez-vous, je fais semblant.

— Tu ne peux savoir ma délectation, arrivé à Bangkok, quand j'ai déchiré mon vrai passeport et l'ai foutu dans les chiottes de l'aéroport !

— J'imagine. Et maintenant, vos projets ?

— Vivre. J'ai bien recommencé. Vois-tu, en m'estimant encore vingt ans d'existence, ça me fait trente millions d'anciens francs par an à bouffer. Pour un type seul, c'est correct. Je vais aller de par le monde tâter de la cuisine et des putes de tous les pays en jouant au golf, ma marotte, pour me tenir en condition. Mais dis voir, tu ne vas pas me cafter, hein, fiston ? Tu diras à ce con d'Achille que tu as fait chou blanc, je compte sur toi ?

Je le regarde. Pourquoi une infinie émotion me prend-elle à la gorge, tout à coup ? Pourquoi me sens-je le frère de cet homme ? Si proche de lui ; en accord infini avec lui ! Victor Héatravaire a eu la grande révélation de la solitude humaine, il a su l'accepter et l'assumer. Il continue de se battre autrement. De se battre en poussant devant lui une balle de golf, en limant des radasses, en bouffant des langoustes, en allant voir sous d'autres cieux s'il y est ! Il a eu le grand courage, ce vrai courageux, celui de trancher les amarres le liant au passé et qui plus est au quotidien. Ah ! comme il est beau et seul sur ces hectares de pelouse bien peignées, le vaillant bonhomme. Comme il est neuf et fort avec ses poings nus et ses cheveux gris, campé sur le fumier du souvenir.

— Vous pouvez compter sur moi... monsieur Dadet, fais-je d'un ton un peu pâle. Pardon de vous avoir dérangé.

OCCLUSION

Je me rends au bar du Jumbo 747 pour fuir les ronflements de Bérurier.

S'y trouve déjà un aimable petit vieillard qui a des touffes de poils dans les oreilles et un nez comme M. Alfred Fabre-Luce rêve qu'il en possède un dans ses pires cauchemars.

Le bon vioque écluse une bouteille de Bordeaux, tout seul, comme un grand. Me sourit. Me convie. M'explique qu'il est monté pendant que sa femme lisait car elle lui interdit de boire de l'alcool, because sa tension artérielle qui déconne.

Il se présente : Samuel Goldenberg-Lévy, bijoutier dans le Marais.

On engage la converse plus avant. Il me demande si j'ai aimé Bangkok. Je réponds que couci-couça...

Il hoche la tête, ne pouvant plus branler le chef depuis qu'il a des rhumatismes articulaires aigus.

— Surfait, surfait ! me dit-il. Leurs temples : de la pacotille. Et vous voulez que je vous révèle une chose ? Le Bouddha d'or, mon œil ! J'ai vérifié, discrètement : il n'est pas en or !

FIN

Achevé d'imprimer en mai 1985
sur les presses de l'Imprimerie Bussière
à Saint-Amand (Cher)

— N° d'impression : 946. —
Dépôt légal : juillet 1985

Imprimé en France

PUBLICATION MENSUELLE